황순원 문학과
소 나 기 마 을

이 도서의 국립중앙도서관 출판시도서목록(CIP)은 e-CIP 홈페이지
(http://www.nl.go.kr/ecip)에서 이용하실 수 있습니다.
(CIP 제어번호 : CIP2017026302)

황순원 문학과 소나기마을

2017년 10월 20일 초판 1쇄 발행

지은이 | 김종회
펴낸이 | 孫貞順
펴낸곳 | 도서출판 작가
　　　　(03761)서울 서대문구 북아현로 89 버금랑빌딩 2층
　　　　전화 | 02)365-8111~2　팩스 | 02)365-8110
　　　　이메일 | morebook@morebook.co.kr
　　　　홈페이지 | www.morebook.co.kr
　　　　등록번호 | 제13-630호(2000. 2. 9.)

편집 | 손희 최서영
디자인 | 오경은
기획마케팅 | 박영민
관리 | 이용승

ISBN 978-89-94815-71-8 03810

* 잘못된 책은 구입하신 서점에서 바꾸어 드립니다.

값 15,000원

황순원 문학과
소나기마을

— 인본주의와 문화콘텐츠의 만남

김종회 지음

작가

함께 바라보는 황순원 문학과 소나기마을

황순원은 20세기 격동기의 한국문학에 순수와 절제의 극을 이룬 작가로 평가받고 있다. 시에서 출발하여 단편소설 작가로 자신을 확립했고 다시 장편소설과 함축적인 단편 및 시의 세계로 회귀하는 독특한 창작의 경과 과정을 보여준다. 그의 문학을 두고 완결성의 미학을 구현했다고 말하는 것은, 이러한 측면과도 관련이 있다. 그런가 하면 일생을 올곧게 일관한 작가정신으로 인하여 많은 이들로부터 인격적 존중을 받는 문학인이기도 하다.

그의 문학은 인간을 소중하게 생각하는 인본주의의 바탕을 끝까지 지켰고, 아무리 상황이 궁벽하다 할지라도 인간의 근원 심성에 대한 신뢰를 포기하지 않았다. 또한 이를 표현하는 문장 기법에 있어서도, 서정적 분위기와 절제된 언어 형식을 통해 오래도록 많은 독자를 이끄는 기량을 자랑했다. 특히 그의 단편 「소나기」는 이러한 측면을 매우 잘 드러내는 명편의 작품이며, 문단 일각에서는 이 작품을 '국민단편'이라고 호명한다. 오늘 성년에 이른 문필가들은 대개 이 소설과 더불어 글쓰기의 묘미와 방향성을 익혔다.

작가 황순원에 대한 연구는 이미 충분히 적층되어 있고, 새로운 시대적 연구방법의 변화에 따라 새로운 연구논문들이 지속적으로 산출되고 있다. 이 책에 수록된 1부 '황순원 작품세계의 재조명'은 그에 부응하고 참여한 필자의 글이다. 더불어 필자가 중심이 되어 발굴한 황순원 작품들에 대한 논평도 함께 수록되어 있다. 2부 '지속성과 완결성의 인간학'은 스승으로서의 작가를 필자가 바라본 수상隨想의 기록이다. 그 문학으로서도 수발하고 그 인간적 품성에 있어서도 존경받는 작가를 스승으로 모신 것은 곧 필자의 분복이다.

지금 경기도 양평에는 작가의 문학을 기리고 특히 소나기의 청순한 동심과 첫사랑의 마음을 회복하자는 문학 테마파크로 '황순원문학촌 소나기마을'이 조성되어 있다. 개관 8년 차에 이른 이 문학마을은 전국의 문학관 가운데 유료입장객이 가장 많은 명소가 되었다. 3부 '동심회복의 고향마을 재현'은 바로 그 소나기마을의 조성 경과와 운영, 우리 시대에 있어서의 의의와 체험적 사실을 논거한 글이다. 이와 같은 논의들과 함께 소나기마을은 향후 새로운 콘텐츠를 개발하고 체험시설을 확장함으로써 장기적인 발전을 도모해 나갈 것이다.

4부 '황순원 연보 및 발굴 작품' 가운데 연보는 이 시점에서 황순원 연보를 확정적으로 정리할 필요에 의해 수록되었고, 그 내용은 장현숙·최동호 교수의 정리를 이어 받았다. 발굴 작품에 관해서는 생전의 작가가 이를 경계한 바가 없지 않으나, 해마다 산발적으로 일어나는 발굴 사례를 한 번에 종식시키기 위해 불가피한 조치였음을 밝혀둔다. 황순원 연구는 필자에게 있어서는 그 기간이 오래되었고 또 글도 산발적으로 씌어졌던 것으로, 여기서 하나의 매듭을 짓는다는 의미가 있다. 이처럼 소중한 책으로 묶어준 도서출판 〈작가〉에 깊이 감사드린다.

2017년 9월
엮은이 김종회

III. 동심회복의 고향마을 재현

IV. 황순원 연보 및 발굴 작품

Ⅰ. 황순원 작품세계의 재조명

순수와 절제의 미학

– 황순원의 삶과 문학

1. 순수성과 완결성의 미학, 그 소설적 발현

오랫동안 글을 써온 작가라고 해서 반드시 훌륭한 작품을 남기는 것은 아니다. 그러나 작품의 제작에 지속적 시간이 공여된 문학은 그렇지 않은 경우에 비추어 더 넓고 깊은 세계를 이룰 가능성을 갖고 있다. 해방 70년을 넘긴 우리 문단에 명멸한 많은 작가들이 있었지만, 평생을 문학과 함께 해왔고 그 결과로 노년에 이른 원숙한 세계관을 작품으로 형상화할 시간적 간격을 획득한 작가는 그리 많지 않았다.

황순원이 우리에게 소중한 작가인 것은 시대적 난류 속에서 흔들림 없이 온전한 문학의 자리를 지키면서 일정한 수준 이상의 순수한 문학성을 가꾸어왔고, 그러한 세월의 경과 또는 중량이 작품 속에서 느껴지고 있다는 점과 긴밀한 상관이 있다. 장편소설로 만조滿潮를 이룬 황순원의 문학을 거슬러 올라가 보면, 시에서 출발하여 단편소설의 세계를 거쳐 온 확대 변화의 과정을 볼 수 있다. 그의 소설 가운데 움직이고 있는 인물들이나 구성 기법 및 주제의식도 작품 활동의 후기로 오면서 점차 다각화, 다변화되는 경향을 보인다.

여러 주인공의 등장, 그물망처럼 얼기설기한 이야기의 진행, 세계를 바라보는 다원적인 시각과 인식 등이 그에 대한 증빙이 될 수 있겠다. 그러나 그 다각화는 견고한 조직성을 동반하고 있으며, 작품 내부의 여러 요소들이 직조물의 정교한 이음매처럼 짜여서 한 편의 소설을 생산하는 데이른다.

이러한 창작 방법의 변화는 한 단면으로 전체의 면모를 제시하는 제유법적 기교로부터 전면적인 작품의 의미망을 통하여 삶의 진실을 부각시키는 총체적 안목에 도달하는 과정을 드러낸다. 단편 문학에서 장편 문학을 향하여 나아가는 이러한 독특한 경향이 한 사람의 작가에게서 순차적으로 진행되고 있음은 보기 드문 경우이며, 그 시간상의 전말이 한국 현대 문학사와 함께했음을 감안할 때 우리는 황순원 소설 미학을 통해 우리 문학이 마련하고 있는 하나의 독창적 성과를 확인할 수 있는 것이다.

황순원의 첫 작품집에 해당되는 시집 『방가』와 뒤이은 시집 『골동품』에 나타난 시적 정서는 초기 단편에 그대로 이어져서, 신변적 소재를 중심으로 하는 주정적主情的 세계를 보여준다. 이 시기의 작품들은 삶의 현장과 직접적으로 관련되어 있지 않은데, 이는 아마도 '암흑기의 현실적인 제약과 타협하지도 맞서지도 않았기 때문'일 것이다. 상실과 말소의 시대를 지나온 이러한 자리지킴은 그에게 후일의 문학적 성숙을 예비하는 서장으로 남아 있다.

『곡예사』와 『학』 등의 단편집을 거쳐 『카인의 후예』나 『나무들 비탈에 서다』와 같은 장편소설로 넘어오면서 황순원은 격동의 역사, 곧 6·25동란을 작품의 배경으로 유입한다. 삶의 첨예한 단면을 부각하는 단편과 그 전면적인 추구의 자리에 서는 장편의 양식적 특성을 고려할 때, 그와 같이 굵은 줄거리를 수용할 수 있는 용기容器의 교체는 납득할 만한 일이다.

그러면서도 여전히 절제되고 간결한 문장, 서정적 이미지와 지적 세련의 분위기를 유지하고 있는데, 장편소설에서 그것이 가능하고 또 작품의 중심 과제와 무리 없이 조응하고 있다는 데서 작가의 특정한 역량을 짐작할 수 있다. 그는 산문적, 서사적 서술보다 우리의 정서 속에 익은 인물이나 사물의 단출한 이미지를 표출함으로써 소설의 정황을 암시적으로 드러내 보인다. 이러한 묘사적 작풍作風이 단편의 특징을 장편 속에 접맥시켜 놓고도 서투르지 않게 하고 오히려 단단한 문학적 각질이 되어 작품의 예술성을 보호한다.

대표적 장편이라 호명할 수 있는 『일월』과 『움직이는 성』에 이르러 황순원은 인간 존재에 대한 철학적 성찰을 깊이 있게 전개하며, 그 이후의 단편집 『탈』과 장편 『신들의 주사위』에 도달하면 관조적 시선으로 삶의 여러 절목들을 조망하면서 그때까지 한국 문학사에서 흔치 않은, 이른바 '노년의 문학'을 가능하게 한다. 천이두는 이를 '단순히 노년기의 작가가 생산했다는 의미가 아니라 노년기의 작가에게서만 느낄 수 있는 독특하고 원숙한 분위기의 문학'이라는 적절한 설명으로 풀이한 바 있다.

황순원의 작품들은, 소설이 전지적 설명이 없이도 작가에 의해 인격이 부여된 구체적 개인을 통해 말하기, 즉 인물의 형상화를 통해 깊이 있는 감동의 바닥으로 독자를 이끌 수 있음을 잘 보여준다. 그러할 때 그에 의해 제작된 인물들은 따뜻한 감성과 인본주의의 소유자이며 끝까지 인간답기를 포기하지 않는 성격적 특성을 가지고 있다.

하나의 완결된 자기 세계를 풍성하고 밀도 있게 제작함으로써 깊은 감동을 남기고 있는 황순원의 작품들은, 한국 문학사에 독특하고 돌올한 의미의 봉우리를 형성하고 있다. 그것은 또한 현대사의 질곡과 부침浮沈을 겪어오는 가운데서도 뿌리 깊은 거목처럼 남아 있는 이 작가에게 우리가 보내는 신뢰의 다른 이름이요, 형상이기도 하다.

2. 단단한 서정성, 또는 시대현상의 선별적 수용 - 단편들의 세계

2-1. 「독 짓는 늙은이」, 막다른 길에 이른 삶의 표정

「독 짓는 늙은이」가 수록된 단편집 『기러기』는 1951년 명세당에서 간행되었다. 첫 단편집인 『늪』을 내놓은 이후 일제의 한글 말살 정책으로 인한 탄압 속에서 '읽혀지지도 출간되지도 않는 작품'을 은밀하게 쓰면서, '그냥 되는대로 석유 상자 밑이나 다락 구석'에 숨겨두었던 것인데, 그러한 작품 열네 편이 『기러기』에 실려 있다.

이들 작품의 정확한 제작 연도는 해방을 앞두고 시대적 전망이 가장 어두웠던 4년간이었으며, 그러므로 해방 후 발표된 작품들을 묶은 『목넘이 마을의 개』보다 출간 시기는 늦었으나 실제 집필 시기는 『늪』을 지나 황순원의 본격적인 창작 활동이 시작되는 제2기의 것이 된다. 「독 짓는 늙은이」는 「산골 아이」, 「황노인」, 「별」 등과 함께 영어 또는 불어로 번역되어 해외에 널리 소개되기도 하였다. 또한 이 작품은 최하원 감독에 의해 1969년에 영화로 만들어졌고, 황해와 윤정희가 주연으로 나왔다. 윤정희는 이 영화로 아시아태평양영화제 여우주연상을 받았다.

「독 짓는 늙은이」에 등장하는 인물들은 매우 단선적으로 그 성격이 정돈되어 있다. 옹기 독을 짓고 굽는 송 영감, 그의 어린 아들, 작품 속에 단한 번도 등장하지 않는 '여드름 많던 조수'와 함께 도망간 아내, 그리고 흙 이기는 왱손이와 아이를 입양시켜 보내는 일을 맡은 앵두나뭇집 할머니 등이 그들인데 이 중 송 영감을 제외하고는 모두 평면적인 주변 인물의 역할에 그쳤다.

이 작품은 전지적 작가 시점에 의해 진행되고 있기는 하지만, 서술의 초점이 송 영감의 심정적 동향에 맞추어져 있고 그의 내포적 고통스러움을 드러내는 사소설적인 유형을 취하고 있다. 1인칭 소설이 아니며 송 영감의 입을 빌려 발화하지 않으면서도 그것이 가능하도록, 이 작품은 치밀하고 분석적인 서술의 행보를 유지한다.

이와 같은 유형의 소설을 읽을 때 문제가 되는 것은 그 소설적 상황을 통하여 작가가 우리에게 제기하는 공명과 감응력의 깊이일 터이다. '집중 잡히지 않는 병'으로 막바지에 달한 송 영감이 도망간 아내를 증오하면서, 또 어린 아들을 남의 집으로 보내면서 보이는 반응의 양상이, 얼마만한 강도로 우리의 감성을 흔들어 놓을 수 있느냐는 것이다.

그러한 목표를 달성하는 데 이 작품은 한 번도 극적인 사건이나 반전을 시도하지 않는다. 사소하고 단편적인 표정 및 몸짓과 같은 외관을 통하여, 그것들의 정연하고 차분한 조합을 통하여 소정의 기능을 감당하게 한다. 우리는 이 작품에서 삶의 마지막 길에서 인간이 겪을 수 있는 가장 극심한 내면적 고통과 대면하는 한 개인을 만난다. 그에 대한 자연스럽고 정동적情動的인 휴머니티의 발현, 그것이 이 소설이 요망하는 소득일 터이다.

2-2. 「목넘이 마을의 개」, 환경조건을 넘어서는 생명력

1946년 5월에 월남한 황순원은 『개벽』, 『신천지』 등 여러 잡지에 단편들을 발표하기 시작했다. 이 작품들은 전란을 배경으로 가난하고 피폐한 삶, 당대의 혼란하고 무질서한 사회 등을 표출하고 있다. 이 무렵에 발표된 작품 일곱 편을 묶음에 낸 단편집 『목넘이 마을의 개』는 자전적 요소가 강하며 현실의 구체적인 무게가 크게 나타난다. 그것은 아마도 작가가 자신이 겪은 전란의 아픔과 비인간적인 면모를 함축해서 표현하고 있기 때문일 것이다. 「목넘이 마을의 개」는 작가가 표제작으로 삼을 만큼 애정을 가진 작품이었던 것 같다. '목넘이 마을'은 작가의 외가가 있던 평안남도 대동군 재경면 천서리를 가리키는 지명이다.

이 소설 역시 전지적 작가 시점으로 일관하고 있는데, 다른 작품들과는 달리 그 서술 시점이 더 효율적인 것은 주로 '신둥이'라는 흰색 개의 생태를 중심으로 이야기를 진행한다는 데에 있다. 나중에 단편집 『탈』에 이르러 「차라리 내 목을」이라는 단편에서는 작가가 말馬을 화자로 하여 역방향에서 사건의 깊은 내면을 부각시킴으로써 소설적 성공을 거두는 사례도 볼 수 있다.

이 작품에 등장하는 인간들, 예컨대 간난이 할아버지나 김선달, 또 큰 동장네 및 작은 동장네 같은 이들의 기능은 부차적인 수준에 그친다. 반면에 신둥이를 비롯하여 검둥이, 바둑이, 누렁이 등 여러 빛깔의 개들이 작가의 주된 관심 대상이며, 한 외진 마을에서 이 개들이 자기들끼리 또는 인간과의 관계를 통하여 생존, 번식, 화해와 같은 개념들을 구체적 실상으로 입증해 보이고 있다.

아마도 피난민들이 버리고 간 개인 듯한 신둥이가 이 마을에 남아 생명의 위험을 헤치고 마침내 '누렁이가, 검둥이가, 바둑이가 섞여 있는' 한 배의 새끼를 낳게 된다는 것이 이야기의 전모이다. 과연 그러한 사실이 생물학적으로 가능하겠는가를 따진다면, 이는 소설의 기본적 담화 문맥을 잘 모르는 소치라고 할 수밖에 없다.

왜냐하면 작가는 이미 그러한 과학적 지식을 넘어서는 생명 현상의 절박함을 펼쳐 보였으며, 가장 비우호적인 환경 조건 가운데서도 생존의 절대 명제와 그 법칙의 준수 및 보호에 관한 동조의 논리를 확보해 놓았기 때문이다. 그것은 혼탁한 세상 속에서 따뜻한 시각으로 생명의 외경스러움을 옹대하는 작가의 태도를 반영하고 있기도 하다.

2-3. 「소나기」, 인간 본원의 순수성과 그 소중함

「소나기」는 짧은 단편이면서도 황순원 문학의 진수를 보여주는 작품이다. 어쩌면 단편문학에서 그의 문학적 특징과 장점을 가장 확고하게 드러내고 있는 작품이라 할 수도 있겠다. 「소나기」가 실려 있는 단편집 『학』은 1956년 작가와 가까웠으며 이름 있는 화가 김환기의 장정으로 중앙문화사에서 간행되었다. 이 책에는 1953년에서 1955년 사이에 씌어진 단편 열네 편이 수록되어 있다.

전후의 시대상과 힘겨운 삶의 모습들, 그리고 그러한 와중에서도 휴머니즘의 온기를 잃지 않고 있는 등장인물들과 마주칠 수 있다. 「소나기」는 청순한 소년과 소녀의, 우리가 차마 '사랑'이라는 이름으로 부르기가 조심스러운, 그 애틋하고 미묘한 감정적 교류를 잘 쓸어담고 있어 이 시기 작품 세계의 극점에 섰다고 해야 옳겠다. 「소나기」는 「학」, 「왕모래」 등과 함께 활발한 번역으로 영미 문단에 소개되었으며, 유의상이 번역한 「소나기」는 1959년 영국 《Encounter》지의 컨테스트에 입상, 게재되기도 했다.

이 작품의 중심인물은 시골 소년과 윤초시네 증손녀인 서울서 온 소녀이다. 이들은 개울가에서 만나 안면이 생기게 되고 벌판 건너 산에까지 갔다가 소나기를 만난다. 몰락해 가는 집안의 병약한 후손인 소녀는 그 소나기로 인해 병이 덧나게 되고, 마침내 물이 불은 도랑물을 업혀서 건너면서 소년의 등에서 물이 옮은 스웨터를 그대로 입혀서 묻어 달라 말하고는 죽는다.

그런데 「소나기」에서 정작 중요한 것은 그와 같은 이야기의 줄거리가 아니다. 간결하면서도 정곡을 찌르는, 속도감 있는 묘사 중심의 문체가 작품에 대한 신뢰를 움직일 수 없는 위치로 밀어 올린다. 정확한 단어의 선택과 그 단어들로 이루어진 문장이 읽는 이에게 먼저 깊은 감동을 선사하는 범례를 여기서 볼 수 있다.

또한 이 작품은 단 한 차례도 글의 문면을 따라가는 이에게, 토속적이면서도 청신한 어조와 분위기 밖으로 나설 것을 강요하지 않는다. 기승전결로 잘 짜인 플롯의 순차적인 진행을 뒤따라가는 일만으로도, 문학이 영혼의 깊은 자리를 두드리는 감동의 매개체임을 실감케 한다. 작은 사건과 사건들, 그것을 감각하고 인식하는 소년과 소녀의 세미한 반응 등 작고 구체적인 부분들의 단단한 서정성과 표현의 완전주의가 이 소설을 우수한 작품으로 떠받치는 힘이 된다.

이미 익히 알려져서 구태여 부언할 필요가 없을지 모르나, 「소나기」의 결미는 황순원 아니 한국 단편 문학 사상 유례가 드문 탁발한 압권이다. 소녀의 죽음을 간접적으로 소년에게 전달하고 소년의 반응 자체를 생략해 버린 여백의 미학이 하루아침에 습득된 기량일 리 없다. 이러한 결미는 그의 다른 작품들에서도 유사하게 발견할 수 있다.

「소나기」를 통하여 우리는 인간이 내면적으로 본질적으로 얼마나 순수할 수 있는가, 그리고 그것이 얼마나 소중하고 값진 것인가를 손끝을 바늘에 찔리듯 명료하게 알아차릴 수 있다. 그런 점에서 「소나기」 같은 작품, 황순원 같은 작가를 보유하고 있다는 사실이 곧 우리 문학의 행복이라 할 수 있겠다.

2-4. 다른 단편들, 삶과 죽음의 문제에 관한 깊은 성찰

황순원 소설의 의미와 가치를 보다 심층적으로 살펴보기 위해 비교적 중점을 두어 분석해 본 「독 짓는 늙은이」, 「목넘이 마을의 개」, 「소나기」 이외의 다른 단편들도, 한결같이 인간이 근원적으로 그 내부에 간직하고 있는 순수성과 그것의 소중함에 대한 소설적 형용을 보이고 있다.

그 중에서 전쟁 직후인 1955년부터 1975년까지 20년에 걸쳐 쓴 작품 21편을 묶은 단편집 『탈』에 「소리 그림자」, 「마지막 잔」, 「나무와 돌, 그리고」가 실려 있다. 이 단편집의 전반적인 성격이 노년과 죽음의 문제에 관한 수준 있는 성찰을 보이고 있는 것인데, 여기 예거한 세 작품은 인간의 순수한 근원 심성과 삶 또는 죽음이라는 명제가 어떻게 대척적으로 맞서 있고 또 어떻게 조화롭게 악수하는가를 감동적으로 보여준다.

「소리 그림자」에서 한 어른의 무분별한 노기怒氣로 인하여 40평생을 불구의 종지기로 살다가 죽은 어릴 적 친구의 그림에서 경건하도록 맑은 즐거움을 찾아낼 수 있을 때, 우리에게 다가오는 것은 종소리의 여운과도 같은 감동의 파문이다. 그것은 한없는 분노를 청량한 웃음으로 삭여낼 수 있다는 사실이 생경한 교훈에 의해서가 아니라 고통스러운 40년의 삶을 대가로 지불하고 체득한 용서의 표현으로 받아들여짐으로써 경험되는 감동이다.

이러한 소설의 완결형이 보이는 깊이는 간결하게 절제되고 시적 감수성이 담긴 단단한 문체를 바탕으로 하고 있다. 그러할 때, 우리는 아득하게 먼 듯 보이는 삶과 죽음 사이의 거리가 불현듯 지적으로 좁혀짐을 느끼게 된다. 타계한 친구를 침묵으로 조상하는 실명소설 「마지막 잔」은 이 상거相距를 한 잔 술로 넘고 있다.

역시 죽음의 문제를 다룬 단편 「뿌리」는 노추하고 보잘 것 없는 삶의 모래밭에서 사금砂金처럼 반짝거리는 진실의 축적을 예시하고 그 소재를 캐어낸 작품이다. 이 작가가 논거하고 있는 평범한 사람들의 죽음은 이처럼 조촐하지만 내면적 품격을 갖춘 것이며, 그것이 참으로 순수하고 자연스러울 때 「나무와 돌, 그리고」에서처럼 '장엄한 흩어짐'으로 표상되고 있다.

은행나무 잎이 산산이 흩뿌려지는 광경에서, 이 작품의 화자는 범상한 삶의 경험 가운데서 암시되는 장엄한 죽음의 모습을 본다. 화자는 '뭔가 속깊은 즐거움에 젖어 한동안 나뭇가지를 떠날 수' 가 없다. 그는 단순히 계절의 생명을 끝내는 은행나무 잎을 보고 있는 것이 아니라, 삶과 죽음이 상징적으로 통합되는 절체절명의 순간에 내면적 충일이 '황금빛 기둥'으로 극대화되는 환각을 체험하고 있다. 시 「기운다는 것」에서 '내 몸짓으로 스러지는 걸' 보아 달라고 하는 작가는, 삶과 죽음의 접점에서 그 몸짓이 격에 맞는 것일 때 '아무런 미련도 없는 장엄한' 모습으로 드러날 수 있음을 인식했던 것이다.

우리가 일생을 두고 추구하는 가치 있는 삶의 본질에 대한 소설적 수사학이 황순원에게 있다는 사실이 이 작가를 기리는 절실한 사유 중 하나가 될 것이다. 그 본질적인 것의 순수함과 아름다움에 대한 태도에 있어서, 그의 소설적 화자는 죽음과 대면하고서도 요동하지 않았다. 그러기에 우리는 그의 소설이 그 일생을 건 구도求道의 길이었음을 납득할 수 있고, 그의 소설에 기대어 우리 또한 소설적 인생론의 진수를 체험하는 터이다.

3. 전란의 상흔과 모순에 맞선 인간중심주의-초기 장편들의 세계

6 · 25동란이 발발하기 넉 달 전인 1950년 2월, 황순원은 첫 장편 『별과 같이 살다』를 정음사에서 간행했다. 1947년부터 '암콤', '곰', '곰녀' 등의 제목으로 이곳저곳에 분재되었던 것에 미발표분까지 합쳐서 묶은 이 소설은, 그 중간제목들이 말해주듯이 일제 말기에서부터 해방 직후까지의 참담한 시대상을 통해 우리 민족의 수난사를 담으려 했다. 그의 장편소설로서는 유일하게 '곰녀'라는 한 여인을 주인공으로 설정하고 있기도 하다.

1953년 9월부터 황순원은 『문예』에 새 장편 『카인의 후예』를 연재하기 시작했으며 우여곡절 끝에 집필을 완료하고, 그 다음해인 1954년 중앙문화사에서 김환기의 장정으로 단행본으로 상재했다. 이는 1950년대 한국문학의 대표작이 되었다. 또한 1955년 1월부터 장편 『인간접목』을 『새가정』에 1년간 연재하여 완결하였다. 발표 당시의 제목은 『천사』였으나

1957년 10월 중앙문화사에서 단행본으로 출간할 때 오늘의 제목으로 개제하였다. 이는 작가가 30대 후반에 체험한 동란의 비극을 소설로 옮긴 것이며, 이 민족적인 아픔을 본격적인 장편문학으로 수용한 한국문학의 첫 6·25 장편소설로 일컬어진다.

황순원은 1960년 1월부터 전란의 문제를 다룬 또 하나의 중요한 장편 『나무들 비탈에 서다』를 『사상계』에 연재하기 시작하여 7월호에 완결하게 되는데, 이는 9월에 같은 출판사에서 단행본으로 상재되었다. 피카소의 그림을 표지화로 김기승의 글씨를 제자로 한 이 단행본에서는, 발표 당시 허무주의자 주인공 현태를 자포자기의 자살로 버려두었던 것을 일부 수정하여, 일말의 정신적 구원 가능성을 암시하는 것으로 바꾸어 놓는다.

이 작품은 작가에게 이듬해 예술원상 수상을 가져다주었으나, 이 작품을 평한 백철과 더불어 작가의 의식과 시대상의 반영에 관한 두 차례의 유명한 논쟁을 촉발하게 한다. 이미 언급한 '작가는 작품으로 말한다'는 신념 아래 일체의 잡글을 쓰지 않으며 심지어 신문 연재소설도 끝까지 마다한 작가의 문학적 엄숙주의에 비추어보면, 『한국일보』에 발표되었던 두 편의 논쟁문은 매우 특이한 사례에 속한다.

오늘날에 와서 우리가 이 논쟁을 다시 돌이켜볼 때, 다른 모든 소설적 가치들을 제외하고라도 작품의 총제적 완결성에 관한 한, 자기세계를 치밀하고 일관되게 제작해온 작가의 반론을 무력화시킬 수 있는 어떠한 논리도 작성되기 어려웠으리라 짐작된다. 미상불 「비평에 앞서 이해를」(『한국일보』, 1960.12.15)과 「한 비평가의 정신자세 - 백철 씨의 소설작법을 도로 반환함」(『한국일보』, 1960.12.21)이라는 제목만 일별해 보아도 그의 오연한 결의가 느껴지는 바 없지 않다.

전란의 시대를 관통해오면서 그 체험을 소설문법으로 형용한 황순원은, 전란의 파고에 휩쓸리거나 그에 억압되어 소설을 쓴 작가가 아니었다. 험악한 시대를 깨어있는 정신으로 살아야 했던 그의 문학적 발화법은, 문학에 관한 자신의 분명한 인식과 판단을 중심 줄기로 하여 그 줄기에 전란의 여러 상황을 부가적 절목으로 편입시키고 있는 경우에 해당한다. 손창섭이나 장용학을 필두로 하여 전후에 급작스러운 빛을 발했던 많은 전후문학 작가들과 그가 구별되는 지점이 바로 여기일 터이다.

지금까지 살펴본 황순원의 작품 세계, 그리고 생애사적 사건들과 전란과 관련된 작품 제작의 행보에 유의하면서, 여기에서는 전란의 문제를 생명에의 외경과 인본주의적 의식을 통해 조명한 『카인의 후예』를 살펴보려 한다. 이 작품이 어떤 환경 조건에서 창작되었으며, 소설이 표방하는 메시지와 그것을 담고 있는 그릇으로서의 미학적 구조, 그리고 전란의 시대를 넘어온 우리의 삶에 던지는 감응력과 전파력이 무엇인가를 순차적으로 검증해 보기로 한다.

황순원의 첫 장편소설 『별과 같이 살다』가 간행된 것은 앞서 언급한 바와 같이 1950년이었으며, 여기서 주목의 대상으로 하는 『카인의 후예』는 동란 이듬해 1954년 12월에 간행되었다. 『카인의 후예』는 1953년 9월부터 『문예』에 연재하기 시작했으나 5회까지 연재하고 이 잡지의 폐간으로 중단됐으며 나머지 부분은 따로 써두었다가 함께 묶었다.

이 소설은 해방 직후 북한에서의 토지 개혁 및 지주 계급이 탄압받는 이야기가 하나의 중심축이 되어 있는데, 그런 만큼 황순원 가문의 자전적 요소들이 많이 내포되어 있으며, 그 일가가 월남할 수밖에 없었던 배경도 잘 내비치고 있다. 이 소설의 무대는 작가의 향리, 곧 평양에서 40리 떨어진 평남 대동군 재경면 빙장리이다. 1950년대 한국문학의 대표작이 된 이 작품으로 작가는 이듬해 '아세아자유문학상'을 수상하게 된다.

이 소설의 한 중심축은 앞서 언급한 토지 개혁과 지주 계급의 탄압에 관한 이야기이다. 이는 곧 작가의 현실 인식과 밀접한 관련을 맺는 것으로, 이를 먼저 살펴보는 것이 좋겠다. 이와 다른 또 하나의 중심축은 지주 계급 출신 지식인 청년 박훈과 마름의 딸 오작녀 사이의 교감과 사랑의 이야기인데, 이는 그 다음에 살펴보겠다.

북한에서의 토지 개혁은 1946년 3월 '북조선 토지 개혁에 관한 법령'이 공포되고 이를 추진하는 담당 조직으로 빈민과 농업 노동자로 구성된 1만 1500여 개의 '농촌위원회'가 만들어지면서 본격화된다. 이 위원회의 주도 하에 일본인, 민족 반역자, 5정보 이상을 소유한 대지주의 땅은 몰수되어 토지가 없거나 부족한 농민에게 가족 수에 따라 무상으로 분배되었다. 이 당시에는 개인 영농을 위주로 토지 분배가 이루어졌으며, 북한에서 토지에 대한 사회주의적 집단화가 이루어진 것은 6 · 25 동란 이후의 일이다.

『카인의 후예』는 이와 같은 토지 개혁을 배경으로, 그 와중에 숱한 인간관계의 파탄과 고통을 겪고 있는 북한 사회를 사실적으로 그렸다. 그것이 단순히 역사적 사실을 그대로 반영한 기록이 아니라, 작가 자신의 가문을 바탕으로 생동하는 인물들의 이야기를 통해 축조되었다는 측면에서 문학적 특성과 장점을 반영하고 있다.

작품의 표제 '카인의 후예'는 두 가지 의미를 함께 끌어안고 있다. 카인은 성경에 기록된 인류 최초의 살인자이며 동시에 인류 최초의 곡물 경작자였다. 그러므로 카인의 후예는 곧 범죄와 농민이라는 중의법의 의미망을 함께 둘러쓴 이름이다. 북한의 농경 사회에 불어닥친 인간성 파괴의 현장, 작가는 그것을 일종의 범죄 행위라는 시각으로 본 것이다.

지주의 아들 박훈은 넉 달 동안 운영해 오던 야학을 예고 없이 접수당하는 일로부터 시작하여, 주변 인물들이 상황에 따라 변해 가는 모습을 목도하면서 끊임없는 불안감에 시달린다. 반면에 그의 주변에 있는 농민들은 토지 개혁에 관한 기대감과 죄의식을 동시에 갖고 있으면서 염량세태의 냉혹한 현실을 뒤따라간다.

지주 계급 출신의 용제 영감, 부재지주 윤기풍 등이 이 혼란기의 표적이 되고 박훈 역시 그러하다. 반면에 남이 아버지, 도섭 영감, 홍수 등 농민위원장을 맡는 인물들은 이들을 타도하는 일의 선두에 서지 않으면 안 된다. 특히 박훈 집안의 마름이었던 도섭 영감은 자신이 살아남기 위해 악랄한 변신의 길을 가는데, 그 이용가치가 다하자 냉정하게 버림받는다. 그의 딸 오작녀가 바로 박훈을 연모하는 여인이며, 박훈을 위기에서 구출한다는 데 이 소설의 구조적 묘미가 있다.

이 소설을 통하여 우리는 북한의 토지 개혁에 관한 법령이나 사례집을 수십 번 읽는 것보다 더욱 쉽사리 문제의 본질을 파악할 수 있다. 작가의 역사의식과 현실 인식이 그것을 이야기 속에 담고 있기도 하거니와, 박훈과 오작녀의 사랑에 있어서도 그 전개 과정이 토지 개혁으로 인한 지주들의 수난사와 직접적으로 상관되어 있는 것이다.

남녀 간에 이루어지는 어느 사랑인들 거기에 숨은 사연이나 정황이 없으랴마는, 한 시대의 의식 전반이 뒤바뀌는 혼란한 시기를 감당하고 있는 박훈과 오작녀의 사랑은 소극적이면서도 뜨겁고 의미심장하다. 작가는 이 유별난 사랑의 이야기를 남녀 간의 대등한 정분으로서가 아니라 여자가 남자를 한없이 감싸 안는 모성적 사랑으로 그렸다.

박훈은 어려서부터 병약하고 무서움을 잘 느끼는 아이였으며, 지식인 청년으로 일제의 압박을 피해 고향으로 돌아와 있는 작중의 상황에서도 그러하다. 오작녀에 대한 감정을 겉으로 드러내지는 않지만, 그 열망은 때로 그의 꿈을 통해 나타나며 소설의 말미에 오작녀를 대동하고 월남하려는 시도를 통해 더욱 확연해진다. 이를테면 오작녀는 성장 과정에서부터 그에게 하나의 주박呪縛과도 같은 존재였다.

오작녀 역시 직접적인 사랑의 표현을 표출하는 유형이 아니다. 가슴 속의 사랑은 강렬한데 그것이 모여 몸 밖으로 탈출할 자리를 얻은 곳, 그것이 바로 오작녀의 '타는 듯한 눈'이다. 그 눈을 떠올리며 박훈은 약혼까지 할 뻔한 나무랄 데 없는 여자를 거부하기도 했던 것이다. '타는 듯한 눈', '불타는 눈', '언제나 눈꼬리가 없어 보이는 큰 눈'의 이미지는 박훈에게는 익숙한 도피처요, 오작녀로서는 희생과 헌신의 표상이다.

그러니 이들의 내연內燃하는 사랑이 모성의 빛깔을 띠는 것은 당연하다. 시집을 갔던 오작녀가 끝까지 남편에게 가슴을 허락하지 않다가 쫓겨 오는 것은 이를 단적으로 말해준다. 한 남자에게 여자로서의 사랑보다 더 큰 어머니로서의 사랑을 공여하고 있으므로, 오작녀는 그 가슴을 열어줄 수 없었던 것이다. 이 헌신적 사랑은 마침내 농민 대회에서 박훈을 보호하기 위하여, 많은 사람들 앞에서 서슴없이 "우리는 부부가 됐어요"라는 발설을 하게 한다. 거기에 자신의 체면이나 안위에 대한 염려는 조금도 없다.

이렇게 본다면, 이 작가는 이들 두 남녀의 사랑 이야기를 통해서 변동하는 새 사회의 내막을 절실하게 드러내고 있으며 그 시대상이 이들의 사랑을 한층 더 절실하게 하는 짜임새 있는 구성 기법을 사용한 것이다. 이 두 줄기의 조화로운 결합이 이 소설을 1950년대 우리 문학의 대표적인 작품으로 밀어 올리는 힘이었다 할 수 있겠다.

소설의 결말로 보자면, 이 이야기는 아직 다하지 못한 전개를 남겨놓고 있어서 그 속편이 씌어졌음직도 하다. 그런데 그 속편이란 바로 다름 아닌, 분단 시대를 살아가는 우리의 구체적 삶에 해당한다. 단절과 대립의 역사, 고난과 통한의 분단사를 꾸려가고 있는 동시대 우리 민족 구성원이 모두 '카인의 후예'라는 호칭으로부터 자유스러울 수 없는 것이다.

4. 소설의 조직성과 해체의 구조 - 본격적인 장편들의 세계

4-1. 황순원 장편소설과 작중인물의 성격

문학작품 속에서 다양한 계기들의 짜임을 이끌고 나가는 작가의 주제의식이 보편적이며 구체적인 실체로 형상화될 때 우리는 작중인물 character과 만나게 된다. 작가는 인물의 행동과 심리를 통하여 '사회학자나 관념론자들이 그들의 체계에서 배제하는 구체적 개인의 모습'을 독자에게 제시한다. 이때의 인물은 '일정한 수준과 질서와 계급체계, 특히 이런 것들을 보장해 줄 고유한 이상과 가치관을 가지고 어느 특정한 사회를 반영'한다. 인물 설정에 객관적 타당성과 필연성이 결여되어 있으면 이 명제를 충족시킬 수 없다.

근대소설의 특징 중 하나는 이야기의 진행plot보다 인물의 성격을 뚜렷이 부각시키려는 데 있으며 사건, 행동, 배경마저 이 인물 부각의 보조 역할에 머무를 수 있다. 미술에 비유한다면 화가가 색채의 기본 구조나 묘화에 숙달하는 것이 작가가 인물 구성의 관습적 도구를 사용하는 것과 같은 가치를 갖는다.

물론 근대소설에 의식의 흐름이란 기법이 도입되면서, 메어리 메카디가 말한 바와 같이 '작중인물에 대한 의식은 D.H.로오렌스와 더불어 사라지기 시작했다'는 극단적인 견해가 없는 것은 아니다. 처음부터 장르 개념에 대해 회의적인 입장을 취하는 러시아의 형식주의자들이나 프랑스의 구조주의자들의 태도도 이와 크게 다르지 않다. 그러나 우리가 소설 장르의 개념을 승인하고 전형적인 소설 작품을 대상으로 했을 때 '헤겔의 세계사적 개인, 루카치의 문제적 개인, 지라르의 우상숭배적 개인'과 같은 작중인물을 통해 언어라는 질료로써 소설이 구축하는 성채의 견고함을 무너뜨릴 수 없다.

대다수의 작품에서 작중인물은 인간의 내면세계와 전체적 형상, 그 소설의 특성을 규정짓는 통일된 속성으로 남아 있으며, 인물 분석을 통해 작품을 정확하게 이해하고 향수할 수 있다. 그것은 작품의 내부에서 인물의 유기적 관련에 의해 드러나는 구조적 특성을 파악하며 작가의 인생관과 세계관 또는 그 사회의 성향과 시대정신을 밝히는 작업이 될 것이다.

여기에서는 인물 분석에 관한 이론의 창을 통해 작품을 보려는 것이 아니라 작품 속에 자생하고 있는 인물들의 성격 유형 분석을 통해, 이를 논리적 근거와 결부시키면서 작품구조와 주제의 해명에 이르고자 하며, 황순원의 『일월』과 『움직이는 성』을 주된 대상으로 하고자 한다. 이 두 작품을 택한 이유는 그들이 각각 작가의 기량이 원숙하던 1960년대와 1970년대에 창작된 대표적 장편소설이며, 구성기법에 있어서 두 작품 사이에서 특이한 변화를 보여주고 있고 주제에 있어서도 인간 존재에 대한 원숙한 성찰을 보여주고 있기 때문이다.

따라서 작중인물과의 상관관계를 통해 작품을 해명하며, 황순원의 작가적 특질을 밝히는 데 적합하다고 할 수 있다. 그리하여 이미 한국문학사의 흐름 속에 확고한 자기 세계를 확보하고 있는 작가 황순원의 소설에 대해 하나의 정리된 시각을 설정하며, 그의 소설세계 저변을 흐르고 있는 본질적인 단자들의 정체를 밝히는 것이 여기에서의 중심 과제이다.

4-2. 인물구성과 지향점의 확산

『일월』의 중심인물 인철은 백정의 후예이며 이에 대한 그의 인식이 비극적 반응 양상을 부여하는 계기가 된다. 이 고독한 개성적 인물은 질긴 인습의 굴레를 체험하면서 적극적인 문제 해결의 의욕보다 소극적인 회의와 갈등의 내면을 보여준다. 이러한 그의 성격은 소설적 필연성에 입각해 있다. 적어도 그는 다른 가족들과는 달리 이 생득적 숙명에 관해 아버지처럼 숨기거나 형처럼 회피하거나 백부처럼 체념하지 않고 정면으로 마주 선다.

이 대립은 존재자아의 진실한 모습에 대한 질문이며, 그 대답으로 사촌형 기룡의 흥미로운 삶이 제시된다. 그것은 존재론적 고독의 무게가 그것을 수락하고 감당해 나갈 때 해소될 수 있다는 일깨움이다. 거칠게 말하면 인철과 기룡이라는 이 두 인물만으로도 소설의 긴장과 줄다리기의 구조가 유지되지만, 그들의 성격은 보다 먼저 태어난 황순원 소설의 인물들처럼 여전히 소극적이다.

이러한 소극성은 그의 소설에 등장하는 남성들이 거의 공통적으로 갖는 속성이다. 『움직이는 성』의 농학기사 준태는 현실의 어디에도 안주하고 싶은 의욕이 없고 인간관계를 불신하는 허무주의자다. 그가 고구마나 감자처럼 대지에 뿌리내리는 식물의 생태를 연구하는 직업을 가졌음은 인물과 환경의 가역반응을 염두에 둔 면밀한 안배인 듯하다. 교회의 명분주의와 율법주의에 반대하면서 가난한 사람들과 함께 사는 전직 목사 성호는 금욕적 이상주의자지만, 그 기독교적 사랑의 실천에 설득력을 부여받기 위한, 금지된 사랑을 한 불행한 과거에 얽매여 있다. 준태와 성호의 친구인 민속학자 민구는 유랑민의 표본처럼 상황에 따라 삶의 지표를 유동시키는 현실주의자이며 참된 삶의 의미를 따라 가려는 의지와는 큰 간극을 가지고 있다.

이와 같은 소극적 인물들이 자율적인 움직임에 의해 사건 전개나 반전을 가져오기는 어려운 일이며 따라서 그들의 내면적 성격과 주변 상황의 부딪침에 따른 반응에 의해 소설의 추진력이 획득되고 있다. 실제로 황순원에 있어 사랑의 진실 같은 것도 '순간적인 감정의 정직성'에서 발견되는 것이지 '이성적 논리관'에 입각한 것이 아니다. 화풍으로 말하자면 19세기 말 시냑signac을 비롯한 프랑스 점묘파 화가들의 채색점과 같이 각기 강조된 부분의 조합을 통해 전체를 형성한다. 그러므로 한 주인공의 내면 심상이 도도한 사상적 흐름을 이루면서 전개되는 작품은 이 작가의 세계에서 만나기 힘들다.

황순원 소설의 남성상이 정적인 소극성에 머무르고 있지만 여성상은 다르다. 그 서로 다른 점은 『일월』의 다혜와 나미를 대비시킴으로써 잘 관찰될 수 있다. 다혜는 전통적이며 모성적인 여인이며, '곱단이나 순이나 오작녀 같은 토속적 여인을 현대적 의장으로 치장' 해 놓았을 뿐, 심층적 의식세계는 큰 차이가 없다. 반면에 나미는 현대적 도시적 세련미를 가진 여성이며, 이 작가의 작품에 자주 등장하는 에피소드나 상징적 알레고리와 같은 지적 조작에 의해 형상화된 인물이다. 다혜에게는 공동체적 사회의 윤리적 척도가, 나미에게는 자신의 이성적 판단과 의지력이 더 소중하다.

이 작가가 계속해서 장편소설을 써 오면서 더 이상 오작녀와 같은 전통적 전형적 인물에만 의존할 수 없었다면 나미의 출현은 예정되어진 것이다. 우리는 『일월』에서 한국의 전통적 여인상과 현대적 여인상이 한 남성의 성격에 접촉하는 대칭적 방식을 발견할 수 있지만, 보다 중요한 것은 그 이후 소설의 여인에게서 다혜의 속성이 축소되고 나미의 속성이 강화되어 나타난다는 사실이다. 『움직이는 성』의 지연, 창애, 『신들의 주사위』의 세미가 바로 그들이다. 이러한 현상은 황순원의 보수적 세계관이 일정한 변화를 보여주고 있음을 뜻하는데, 그 면모는 곧 그의 연륜과 그가 살아온 시대의 행적을 말하는 것일 터이다.

황순원 소설의 인물 분석을 통해 드러나는 또 한 가지 중요한 특징은, 인물 속성의 지향점이 변화한다는 사실이다. 초기의 작품에서 보이던 신변적 취향의 인물들이 전란을 소재로 한 작품에 이르러 사회적 맥락 속의 인물로, 다시 『일월』 이후에는 인간의 운명과 존재에 대한 철학적 사고를 유발하는 인물로 변신하고 있다. 이는 '아름다움으로 묘사된 삶의 순간이나 사물의 상태가 초기의 단편들에서는 소멸의 미학을 지니고 있었다면, 최근의 그것은 생성과 유대의 미학을 내보이고 있다' 는 김치수의 지적과도 관련되어 있다.

황순원은 인물 설정에 있어 전형적 인물과 개성적 인물, 평면적 인물과 입체적 인물을 효과 있게 병렬시키고 있으며, 그 형상화 과정에서도 행동 및 사건 전개에 호소력을 갖는 극적 방법과 심리적 동향을 부각시키는 분석적 방법을 적절하게 혼용하고 있다. 그런데 『신들의 주사위』에 이르면 평면적 인물과 입체적 인물의 역할에 대한 혼란의 징후가 엿보인다.

한 작품 속에서 성격이 변화하지 않는 인물과 변화, 발전하는 인물의 구분이 모호해지고 주변인물들이 고착되어 있기를 거부한다. 한 소읍을 근거지로 살아가는 여러 사람들에게 비슷한 비중이 주어져서 마치 그 소읍 전체가 동시적으로 움직이는 듯한 감을 준다. 그러면서 각기의 분절적 움직임들이 '가족문제, 농촌문제, 공해문제, 통치문제 등으로 확대' 되고 있으며 새로운 문물의 유입과 함께 한 지역사회가 변동해가는 내면의 실상을 보여주고 있다.

이와 같은 인물 설정 기법의 확산은 작품구조 및 주제의 확산과 함께 이루어지며, 작품의 중심 과제를 종합적으로 투시하려는 원숙한 시선에서 기인하는 것으로 보인다. 그것은 한국소설사에서 황순원의 작품이 이루어놓은 간척지이자 그 지평의 가장 전방지점일 것이다. 『신들의 주사위』 이후 그가 세상사를 원숙한 시각으로 축약하는 시들을 창작하여 다시 시인으로 돌아가고 있음은 바로 그것을 말해주는 듯하다.

4-3. 해체의 작품구조와 질서의식

교과서적 미학이론가로서 하르트만은 극예술에 있어서의 행동 통일을 위해 동작 · 표정 · 말투의 통일, 성격의 통일, 인간운명의 통일이 필요하다는 다원적 통일성의 이론을 체계화했다. 소설의 구조적 통일성을 획득하는 데 가장 핵심이 되는 것은 인물의 행동이며, 그러할 때 그것은 비록 가공의 것이더라도 현실 가운데서 충분히 있을 수 있는 일이어야 할 것이다.

『일월』에서 부친과 형 그리고 백부는 과거의 인습적 성격을, 기룡은 미래지향적 성격을 대변하면서 상대적 구도를 이루고 있다. 또한 다혜는 전통적 서정적 성격을, 나미는 현대적 지적 성격을 대변하면서 역시 상대적인 구조를 이루고 있다. 이 두 상대적인 구조가 교차하면서 스토리가 진행되고 있으며 그 이중구조의 교차중심에 인철이 겪고 있는 갈등의 내면이 소설적 필연성으로 자리 잡고 있다.

인습의 굴레와 부딪칠 때 가족·친척들이 보여주는 반응의 양상은 작품의 주제를 표출하는 데 관련되어 있으며, 이성간의 접촉방식이 드러내는 탄력적인 삼각구도는 다혜를 통해 인철의 고뇌를 부축해 주고 나미를 통해 이를 진전시키는 작품구조의 조건이 된다. 이처럼『일월』은 주인공 인철을 중심으로 직조물의 씨줄과 날줄처럼 주제표출과 구성기법에 의한 복합구조로 짜여져 있다. 그 교차 지점에서 인철은 소설의 통일성과 조직성을 더하게 하는 구심점이 되고 있다.

그러나『일월』과 그 이전의 작품들을 보던 시선으로『움직이는 성』을 볼 때, 우리는 이 작가의 구성기법으로부터 어떤 특이한 변화를 감각할 수 있다. 그것은 일관성 있게 스토리를 진행시키는 집합적 구조에서 다양한 사건들을 얼기설기하게 풀어나가는 해체적 구조로 변화해 가는 조짐이다. 이 작품에 빈번히 등장하는 에피소드들—예거하자면 연하의 남성이 가진 고통을 잠재울 줄 아는 창녀나 무속세계와 관계된 짧은 이야기들—이나 지적 조작을 통한 꿈과 같은 것은 모두 개인적인 차원의 것이다. 작물의 품종개량, 매사냥, 개의 습성 등에 관한 서술·묘사도 일견 개별적인 삽화에 불과한 듯이 보인다.

그러나 이것들이 한국인 의식세계의 내면풍경으로 확대되고 우리 사회의 속성을 대변하는 범례가 되고 있음을 주목할 필요가 있다. 면밀히 관찰해 보면 이 작은 단락들이 전체적인 작품구조 속에서 흥미로운 정보를 제공하기도 하지만, 소설의 흐름을 부드럽게 하는 윤활유이자 빈틈없는 조직성을 부여하는 안전판으로서의 역할을 하고 있음을 알 수 있다.

「인물들의 행동과 사건 역시 그러하다.『일월』에서 인철을 중심으로 통일되어 있던 것이 『움직이는 성』에 이르면 준태, 성호, 민구 등 등장인물들의 개성적 성격과 행동이 산발적으로 나타나면서 작품의 주제를 부각시키는 데 다각적으로 접근하고 있다. 마치 '진리는 하나이지만 네카의 입방체처럼 다방면에서의 관찰이 가능하다'는 기하학의 원리와도 유사하다. 이 개인적이고 개별적인 단락들의 관계가 함께 엮어지면서 소설이라는 조직체를 이루는 것은, 그 배면에서 유기적 통합을 감리하는 작가의 구성력을 인식하게 한다.

이와 같은 사실은 이 작가의 다음 장편 『신들의 주사위』를 읽어보면 더욱 확연하게 드러난다. 창작방법의 이러한 변화는 '근대사의 흐름과 함께한 사회의 무질서 속에서 작가 자신이 어떤 질서를 발견할 수 있었기 때문'에 가능한 것인지도 모른다. 아도르노가 『미학이론』에서 '구성의 원칙 가운데 각 계기들을 주어진 단일체 속에 끌어들여 해체하는 경우에도 매끄럽게 만드는 요인, 조화를 강조하는 측면이 나타난다'고 하고 '다양한 것들을 종합하는 것이 구성'이라고 한 것은 황순원 소설의 확산구조와 그 유기적 결합의 질서를 논리적으로 강화해 준다.

작품구조에 관한 작가의 질서의식은 소설에 조직성을 부여할 뿐만 아니라, 어느 정도 무리를 무릅쓰고 말하자면 그처럼 질서 있는 시각으로 세계를 볼 때 주제적인 측면에서 『움직이는 성』의 '창조주의 눈'과 같은 향일성의 미래를 예시하게 된다고 보인다. 황순원이 후기의 장편으로 오면서 작품구조의 확산을 시도하고 있으면서도 마치 소설의 조직성이란 문제에 대해 답안을 제시하듯이 정교한 이음매로 이루어진 구조를 유지하고 있음은 결코 우연한 일이 아니다.

그러한 구조적 확산을 가져온 작가의 내면의식을 추단하기는 용이한 일이 아니지만, 아마도 작품의 주제가 철학적 사고를 동반하는 것으로 되면서 여러 측면에서 종합적으로 고찰하려는 의도가 숨어있으리라 여겨진다. 그리고 『일월』에 있어서 백정에 관한 지식, 『움직이는 성』에 나오는 무속과 농학에 관한 지식들이 단순한 현학 취미의 나열이 아니라 작품의 주제와 긴밀한 상징적 연결을 이루고 있다는 점도 지적할 필요가 있다. 이는 역사적 과학적 학술 자료들이 어떻게 정서적 예술 감각의 여과를 거쳐 작품구조 속으로 편입되도록 할 수 있느냐에 대한 좋은 보기가 될 수 있을 것이다.

4-4. 인간의 존엄성과 철학적 성찰

한 작품 속에 집적되어 있는 여러 의미 가운데서 뜻의 요약과 뜻풀이를 위하여 하나의 주제를 추출해 내는 것은 절대적 가치가 없는 일인지도 모른다. 뿐만 아니라 경우에 따라서는 의식의 흐름이란 기술방법에 의해 쓰여진 일부의 소설들처럼 주제를 확인하는 일 자체가 무의미하게 될 수도 있을 것이다.

그러나 전형적인 창작법과 사실적인 표현 방법에 따라 제작된 소설에 있어서는 주제의 확인과 그에 이르는 과정이 작품의 가치를 판단하는 좋은 자료가 된다. 물론 황순원은 후자에 해당하는 작가이다. 근대사의 격동기를 거쳐 오면서 생산된 우리 문학에는 패배와 반항의 군상으로 그려진 많은 지식인들을 볼 수 있다. 특히 전후 1950년대 작가들의 작품은 대다수가 그러하다. 문학은 '사회제도의 하나이며 그 매개수단으로서는 사회가 만든 언어를 사용'하고 있기 때문이다.

이 논의를 보다 확실히 하기 위하여 『나무들 비탈에 서다』와 『움직이는 성』의 인물들을 대비시켜 보는 것이 유익하다. 『나무들 비탈에 서다』의 현태, 동호, 윤구는 『움직이는 성』의 준태, 성호, 민구와 포괄적인 의미에서 각기 동류항으로 묶을 수 있다. 현태가 전란의 가혹한 현실상황에 반발하는 허무주의자라면, 준태는 우리 민족의 심리적 기조인 유랑민 근성에 근거한 허무주의다. 동호가 인간의 순수성과 고귀함을 지향하는 이상주의자라면, 성호는 기독교적 사랑의 실천을 추구하는 이상주의자다. 윤구가 혼란의 와중에서 물욕을 키워가는 현실주의자일 때 민구는 본능적으로 이기심을 따라가는 현실주의자다. 이들의 이름 끝 자가 서로 일치하고 있음은 작가가 보이는 작명법의 취향에 대한 암시일 수도 있을 것이다.

이들 중 엄밀한 의미에서 성공했다고 할 수 있는 사람은 아무도 없다. 허무주의자의 패배는 당연한 것이다. 현태는 극심한 자학에, 준태는 결국 죽음에 이른다. 이상주의자로서의 동호는 전란의 격랑 속에서 동정을 버리고 자살밖에 택할 길이 없으며, 성호는 내면적 인격의 건실함을 잃지 않지만 사회적 의미의 성공을 거두지 못한다. 현실주의자로서의 윤구와 민구의 삶은 속물적인 것으로의 전락이며 정신적인 패배자의 모습이다.

왜 이들이 모두 패배의 수렁으로 떨어져야 하는가를 밝히는 일은 곧 작품의 주제를 설명하는 것으로 되는데,『나무들 비탈에 서다』에서는 전란이 초래한 한국사회의 윤리적 위기를 다루고 있으며『움직이는 성』에서는 한국인의 근원 심성을 유랑민 근성이라는 비판적인 측면에서 보고 있기 때문이다.

그렇다면 뒤이어 독자는 작가가 이들의 패배를 당연한 것으로 생각하고 이에 동의하고 있는가를 질문하게 된다. 그렇지는 않다. 그는 '인간을 아름답고 순수한 어떤 것으로 믿는 경향'을 지니고 있으며 그 때문에 문학사에서도 그를 낭만적 휴머니스트로 기록하고 있다. 주어진 운명이나 참기 어려운 상황에 대해 작가가 향일작업의 반응검사로 내세우는 것은 그것을 수락하고 감당하는 삶의 자세이며, 그것은 주로 작품의 말미에서 나타난다.『나무들 비탈에 서다』에서 동호의 애인 숙이 현태의 아이를 낳아 기르겠다고 결심하는 것은, 전쟁의 상처를 '마지막까지 감당하기 위해서'이다.

『일월』에서 기룡이 보여주는 현실초월적 태도는 천생의 숙명과 가열한 고독감에 대한 수락 및 감당을 의미한다.『움직이는 성』의 성호와 지연도

불행한 사람들의 생애가 남기고 간 아이들을 거두어 기르면서 사랑의 실천에 동역자가 되며, 남은 사람들의 진행방향을 가리키는 전조등으로서 '창조주의 눈'이란 함축적인 알레고리가 제시되고 있다. 이러한 사실들이 그가 인간의 정신적 아름다움과 존엄성에 대한 깊은 신뢰를 포기하지 않는 증거가 될 것이다. 그런데 그러한 인간애 또는 인간중심주의가 그냥 얻어진 것일 리 없다. 황순원이 작품 활동의 후반기로 오면서 인간의 존재에 대한 철학적 성찰에 깊이 있게 접근하고 있었고 그러한 노력이 수준 있는 성과를 거두었기에 가능했을 것이다.

『일월』에서는 숙명적인 출생의 고통에 대한 성찰에서부터 존재론적 고독의 문제에 대한 천착으로 주의 깊게 주제를 발전시켜 나가고 있다. 마지막 장면에서 인철이 '머리에서 고깔모자를 벗어 뜰에 서 있는 한 나뭇가지에 거는' 행위는, 오랜 방황 끝에 과거의 인습적 굴레와 함께 존재론적 고독의 사슬에서 벗어날 수 있을 것임을 암시한다. 『움직이는 성』에서는 한국인의 근원심성, 그 기층적 기질과 기독교 신앙의 갈등과 같은 철학적 종교적 사고를 유발하는 문제가 다루어지고 있다. 이러한 경향은 단편집 『탈』과 장편 『신들의 주사위』에도 그대로 이어진다.

이와 같은 우리 삶의 현장에 대한 관조적인 시각은 황순원이 이룩하고 있는 소설세계의 의미심장한 깊이와 관련되어 있으며, 그 바닥을 두드려 보는 일이 곧 황순원 문학의 본질을 밝히는 것이 된다고 보인다. 소설은 전지적 설명이 없이도 인물의 형상화를 통해 인간의 존재양식에 대한 통찰력 있는 천착을 가능하게 할 수 있다. 황순원의 장편들이 이를 잘 증명해 주고 있다. 철학으로 존재론을 설명하자면, 작가와 독자 사이에 전문지식의 공유가 있어야 하고 관념적인 용어를 사용하지 않을 수 없는데 비해, 소설은 이를 직관적이면서도 구체적으로 보여줄 수 있다. 이는 소설문학의 특성이자 강점이다. 하르트만이 사실주의를 예술의 건전한 경향이라고 한 것도 이와 같은 맥락 속에 있다.

4-5. 장편소설의 변화과정과 그 의미

지금까지 우리는 황순원의 소설작법이 후기의 장편으로 오면서 전반적으로 확산되는 경향을 보이고 있음을 확인할 수 있었다. 근대사의 격동기를 수용하기 위하여 단편에서 장편으로 소설양식을 변화시켰듯이 그 내부에서도 작품의 중심과제를 복합적으로 투시하기 위한 확대변화를 시도한 것이다.

이와 같은 확산의 진행은 『신들의 주사위』에서 어떤 한계를 내보이게 되는데, 그것은 '한 작가의 작품세계가 하나의 완결된 형태를 취하려 할 때 열려진 상태로 남아있기를 거부하기 때문' 일 것이다. 창작활동의 마지막 단계에서 발표된 황순원의 함축적인 단편들이나 시로의 회귀는, 그가 온 생애를 통해 가꾸어놓은 문학의 질량을 명징하게 축약하고 집적하는 작업으로 이해할 수 있을 것이다.

황순원 소설의 인물들이 소극적, 회의적이라는 앞서의 지적과 관련하여 여기서 두 가지 물음을 제기해 볼 수 있다. 하나는 『일월』에서 백정의 후손이라는 사실이 상당한 신분상승을 이루고 있는 인철의 집안에 그처럼 큰 정신적 타격을 줄 수 있을까 하는 문제인데, 소설의 배경을 이루고 있는 시대적 조건이 천민출신에 대한 신분차별이 그토록 혹심한 형태로 나타날 만큼 문제적이냐 하는 점이다. 다른 하나는 『움직이는 성』에서 유랑민 근성에 대한 준태의 신랄한 비판과 그의 파멸만큼 그것이 그렇게 위태로운 것인가 하는 문제이다.

만약 황순원 소설의 주인공들이 보다 적극적이고 능동적인 성격으로 나타났다면 이 작품들의 스토리는 달라졌을 가능성이 있으며, 우리 민족의 인습과 근성에 대한 문제가 좀 더 포괄적으로 다루어졌을지도 모르는 일이다. 이는 수동적 성격의 인물이 형성하고 있는 작품 내부의 세계가 어떤 제한 속에 있는 것은 아닐까 하는 의문을 동반한다.

그 문장의 단단함과 함께 잊혀져가는 우리말을 찾아내어 유효적절하게 사용하고 있는 이 작가는 한국문학의 언어적 지평을 넓히는 데도 기여하고 있는데 그것은 새삼스러운 일이 아니다. 김현이 언급했듯이 1942년 이후 일본 식민통치자들은 한글의 사용을 금지했으며 한국 작가들은 침묵을 지키거나 식민통치에 동조하거나 양자택일을 해야 했다. 불행하게도 그들 중 많은 이들이 후자를 택했으며, 드물기는 하지만 황순원과 몇몇 작가들은 침묵을 지키는 편을 택하였고 읽혀지지도 출간되지도 않는 작품을 은밀하게 쓰면서 모국어를 지켰다.

『일월』과 『움직이는 성』은 제목 설정에도 하나의 모범이 된다. 『일월』은 '해와 달이 영원히 함께 할 수 없음을 통해 어떤 근원적 괴리감을 표상' 하는 것으로 보이며 『움직이는 성』은 '한국인의 기층적 심성으로서의 유랑민 근성을 상징' 할 것이다.

작중인물의 성격 분석을 통해 한 작가의 작품 세계에 접근하려는 이와 같은 독서방법은 자칫 사회학적 요건이나 주변 여건에 소홀할 수 있겠지만, 작품 창작의 역순으로 작가의 의도와 사상을 천착해 본다는 의미에서 가장 확실한 작품해명의 방법일 수도 있을 것이다. 어느 작가를 막론하고 인물의 설정 없이 스토리 전개를 구상할 수 없을 것이며, 그 인물의 성격을 구명하는 작업은 곧 작가의 내부로 되짚어 들어가는 소설적 통로가 될 수 있을 것이기 때문이다.

5. 인간에 대한 신뢰, 그 존엄성을 증거한 문학

황순원의 시와 초기 단편들, 그리고 순서가 앞선 장편들조차도 기실 우리가 두 발을 두고 있는 구체적 삶의 현장에 과감히 뛰어든 문학이 아니다. 그러나 소재적 측면에서 초기 이후의 단편, 그리고 단편에서 장편으로 넘어오면서 황순원의 작품에는 한국 현대사의 가장 큰 격동의 사건인 6·25동란이 배경으로 등장한다. 인생의 여러 면모를 전면적으로 추구하는 데 적합한 장편소설의 양식을 통하여 전란의 와중과 전후에 펼쳐진 좌절 및 질곡을 표현하고자 했을 것임은 앞서 살펴본 바와 같다.

1930년 열여섯에 시를 쓰기 시작하여 1992년 일흔여덟까지 작품을 쓴 황순원은 시 104편, 단편 104편, 중편 1편, 장편 7편의 거대한 문학적 노적가리를 남겼다. 이 작품들은 그로 하여금 한국 현대문학에 있어서 온갖 시대사의 격랑을 헤치고 순수문학을 지켜온 거목으로, 그리고 작가의 인품이 작품에 투영되어 문학적 수준을 제고하는 데까지 이른 작가 정신의 사표로 불리게 하였다. 혹자는 역사적 사실주의의 시각에 근거하여 황순원이 서정성과 순수문학 속으로 초월해버렸다고 비판하기도 한다. 그러나 그렇게만 말한다면 이는 단견의 소치이다. 황순원의 문학과 시대 현실의 관계는 흥미로운 굴곡을 이루고 있다.

초기 단편에서는 작가 자신의 신변적 소재가 주류를 이르면서 토속적 정서와 결부된 강렬하고 단선적인 이미지가 부각되고 있다. 「목넘이 마을의 개」를 전후한 단편에서부터 『나무들 비탈에 서다』까지의 장편에서는 수난과 격변의 근대사가 작품의 배경으로 유입되어 현실의 구체적인 무게가 가장 크다. 장편 『일월』과 『움직이는 성』 그리고 단편집 『탈』에서는 인간의 운명에 관한 철학적 종교적 문제가 천착되면서 시대 현실이 한 걸음 후퇴한다. 그러나 『신들의 주사위』에 이르면 인간 존재에 대한 철학적 탐구는 그대로 지속되되, 한 지역 사회가 변모해가는 내면적 모습이 함께 그려진다.

이처럼 황순원의 소설들을 발표순에 따라 배열해보면, 작품의 주제와 시대현실 사이의 직접적인 상관성이 대체로 '無-有-無-有'의 순서로 나타난다. 이와 같은 굴곡은 이 작가가 시대 현실에 대한 인식을 위주로 소설을 써온 것이 아니라, 작품의 구조에 걸맞도록 시대 현실을 유입시키고 있음을 뜻한다고 할 수 있다.

처음의 세 단계는 신변적 소재-사회적 소재-철학적 소재로 작품 성향이 변화하는 양상을 말해주는 것이며, 마지막 단계에서는 시대현실을 다루는 작가의 복합적 관점을 느끼게 하는 것으로 삶의 현장에 대한 관조적인 시야가 없이는 어려울 것으로 보인다. 그러기에 작품 활동의 후반기로 오면서 그의 세계는 인간의 운명과 존재에 대한 깊은 성찰에 도달하고 있다는 사실에 유의할 필요가 있겠다.

황순원의 문학은 인간의 정신적 아름다움과 순수성, 인간의 고귀함과 존엄성을 존중하는 바탕 위에서 출발했고 이를 흔들림 없이 끝까지 지켰다. 그가 일제하에서 '읽혀지지도 출간되지도 않는 작품을 은밀하게 쓰면서 모국어를 지킨' 일도, 이러한 상황과 무관하지 않을 것이다. 대부분 그의 작품이 배경으로 되어 있는 상황의 가열함 속에서도 진실된 인간성의 회복을 위한 암중모색을 잊지 않고 있는 것은 그 때문이며, 문학사에서 그를 낭만적 휴머니스트로 기록하고 있는 것도 그 때문일 것이다.

삶과 죽음의 존재양식

— 황순원 단편집 『탈』을 중심으로

1. 세계인식의 넓이와 깊이

황순원의 『탈』은 1965년에서 1975년까지 11년간에 걸쳐 쓰여진 21편의 단편 모음이다. 그 가운데서 직접적으로 노년이나 죽음의 문제를 다루고 있는 작품이 15편, 소재로써 이러한 요소가 내포된 작품이 5편, 단지 「이날의 지각」1편만이 이 문제와 거리가 있다. 이와 같은 빈도는 이순의 세계전망을 드러내기까지 10년여를 지탱해온 작가의 관심과 인식이 얼마만한 넓이와 깊이로 여기에 도달해 있는지를 예시하는 언표일 것이다.

이 글은 삶과 죽음이 부딪히는 지점의 좌표 설정에 경도되어 있는 작가의 의식으로부터 몇 가지 특징적인 모티프를 도출함으로써, 삶의 일상성을 넘어서서 마련되고 있는 초월적인 공간의 의미를 해명하면서 그러할 때 삶과 죽음이 갖는 유기적 존재양식의 체계를 밝혀보려 한다.

2. 삶의 고난과 응전력

그림자를 어둡다고만 생각하는 일면적 사고와 그림자 역시 반사된 광선으로서 빛의 일종이라고 생각하는 다면적 사고 사이에는 상당한 진폭이 있다. 이를 인간의 삶과 죽음에 대한 시각으로 환치해 보면, 죽음을 삶의 끝으로 생각하는 사고와 그 한 양식으로 인식하는 사고의 구분에 대응된다. 우리가 삶의 밀도를 세부적으로 이해하고 체험하는 열린 상태의 존재론에 입각해 있을 때, 죽음이 삶의 물리적 소진이라는 단순한 현상적 파악만으로는 그 궁극적 의미의 바닥을 두드려보기 어려울 것이다.

연극에 있어 무대는 일종의 선별된 공간이다. 그것은 일의적으로 관객석과 동일한 공간이지만 동시에 허구의 진실이라는 무한한 가능태를 연출할 수 있는 유다른 체험의 공간이다. 이와 같은 심층적 체험의 인식을 바탕으로 한다면 삶과 죽음 사이의 거리가 소멸되고 실존주의 철학의 논리와 같이 자살까지도 적극적인 삶의 한 방식으로 받아들여질 수 있게 된다.

오늘날처럼 합리주의적 질서와 기계화가 삶의 전체성을 거부하고 산업사회의 미아들을 만들어내고 있는 시대에서는 삶이 그 본래의 다가성을 상실할 수밖에 없다. 이 시대적 질곡 가운데서 유실된 정신의 영토를 회복하기 위해 우리에게 주어질 수 있는 하나의 열쇠를 발견하는 것은 쉽지 않은 일이지만 황순원 소설에서 읽을 수 있는 열린 상태의 삶을 통해 어떤 가능성을 찾아낼 수는 있음직하다.

단편집 『탈』에 있어 죽음의 이정표가 보이는 노년의 삶의 이르렀을 때, 여기에 반응하는 캐릭터의 태도는 2가지 모습으로 대비되어 나타난다. 그것은 분노와 용서의 서로 상반된 감정상태이다.

지금 블랙몰리는 더욱더 윤기 도는 검은 빌로오도 빛깔을 한 채 몸 움직임도 사뭇 경쾌했다. 그러자 그의 눈앞에서 이 블랙몰리가 차츰 확대되어 어항 안이 온통 까맣게 돼버렸다.

저도 모르게 허웅의 손이 어항 속으로 들어갔다. 조금 시간이 걸렸다. 드디어 그는 매끄러운 감촉이 느껴지는 손아귀에 힘을 주었다.

— 「우산을 접으며」

단편 「우산을 접으며」에 나타나는 허웅의 이와 같은 행위에는 황순원의 소설에서 흔하지 않은 과단성이 있다. 이 즉물적인 살생 충동의 인카네이션은 마음을 나누고 있던 혜경의 결혼에 대한 강한 거부감의 표출일 수 있겠지만, 실상 허웅의 내면은 좀 더 주의 깊게 관찰되어야 한다. 리오 로웬달이 『문학과 인간의 이미지』에서 베르테르가 롯테의 사랑을 얻지 못했기 때문으로만 자살한 것이 아니라고 지적했듯, 허웅의 저항은 혜경의 결혼과 동류항으로 작용하는 노후증세, 가족관계 등 자기 몫으로 허락되어 있던 여러 가지 삶의 영역이 점차 무너짐에 대한 보다 근본적이고 복잡한 반응으로 볼 수 있다. 다시 말하면 노년의 외로움과 부끄러움에 결부되어 검은색으로 상징되는 정신적 고통이 혜경의 결혼이라는 촉매제에 의해 발열되어 어항 속의 블랙몰리를 잡은 손아귀에 힘을 주게 한다.

이러한 소설적 행위는 작중인물이 소년이냐 노인이냐와도 관련되는데, 「소나기」, 「별」 등 서정성이 강한 초기 작품의 주인공 소년들과 허웅 사이에는 큰 거리가 개재되어 있다. 그 간격은 황순원의 소설제작과 함께 해 온 세월의 시계추가 왕래하는 공간과 다르지 않다.

허웅의 분노는 「숫자놀이」에서 유예된 죽음의 함축된 의미나 「주검의 장소」에서 비정한 현실의 어처구니없는 모습에서도 같은 맥락으로 나타난다. 그러나 분노가 그 혼자만의 공간을 확보하고 있지는 않다.

이때 나는 보았던 것이다. 앞에 펴 놓은 그림이 이상한 변화를 일으킨 것을. 아니 변화라기보다는 이 그림을 그린 고인의 본뜻을 비로소 알아볼 수 있었다는 게 옳았다. 그림의 붓놀림이 어쩌면 이렇게 즐거울 수 있을까. 불꽃처럼 보였던 선 하나하나가 실상은 어쩔 수 없는 즐거움에서 우러나온 율동이었던 것이다. 킬킬킬 티 없는 웃음이 연필 자국마다 스며 있다가 되살아오는 것이었다. 우리는 40여 년 전 웃음을 나눠가질 수 있었다.

―「소리그림자」

「소리그림자」에서 한 어른의 무분별한 노기로 인하여 40 평생을 불구의 종지기로 살다가 죽은 어릴 적 친구의 그림에서 경건하도록 맑은 즐거움을 찾아낼 수 있을 때, 우리에게 다가오는 것은 종소리의 여운과도 같은 감동의 파문이다. 이러한 소설의 완결형이 보이는 깊이는 간결하게 절제되고 시적 감수성이 담긴 단단한 문체를 바탕으로 하고 있다.

어렵게 살아가는 사람들의 이야기인 「원색오뚜기」에서도 아들이 죽자 연금을 탈 수 있는 아들의 훈장을 가지고 도망간 며느리를 다시 만난 윤 노인이, "이 여자도 죽기보다 살기가 힘들다. 오히려 죽고 싶다는 말할 수 없는 고초를 한두 번 아니게 겪으며 살아 왔으리라"는 생각을 하고 있다.

이때 윤노인의 눈 속에 한 광경이 펼쳐졌다. 화통간 저 앞으로 달리고 있는 사람이 있었다. 그들은 옆으로 피할 염도 않고 그냥 앞으로만 기를 쓰고 달리고 있는 것이다. 차라리 그것은 달리고 있다느니보다 굴러가고 있다는 편이 옳았다. 그러나 마침내 그들은 화통간에 들이받히고야 만다. 그런데 이상하게도 그들은 차밑에 깔리지 않고 마치 덜된 오뚜기 모양 떼굴떼굴 자꾸만 앞으로 굴러가고 있는 것이었다.

―「원색오뚜기」

등 뒤의 기차처럼 경각의 위험으로 다가와 있는 삶의 어려움을 해소시킬 힘이 이들에겐 없다. 그러나 윤노인이나 며느리의 삶이 기차의 화통간에 받히고도 멈추지 않는 오뚜기로 비유되는 것은, 그 어려움 속에서도 꺼지지 않는 따뜻한 이해와 온정의 불씨 때문이다. 또한 기차와 충돌하고서도 자꾸만 앞으로 굴러갈 수 있는 오뚜기의 환각은 죽음이 삶의 끝을 막아서는 벽이 아니며 삶의 단절을 의미하지 않는다는 인식에서의 암시로 나타난다. 이러한 암시는 고통스러운 삶에 대응하는 방식을 보여주면서 여기서 밝혀보려는 존재양식의 다가성을 드러내는 한 자락이 되기도 한다.

세계와 부딪치면서 황순원 소설의 주인공들은 때로는 분노하기도 하지만, 결국 삶의 고난을 이해하고 용서하는 편에 선다. 그것은 어려움을 뚫고 앞으로 나아가는 응전의 힘이 된다. 이 작가의 작품에서 일관되게 나타나는 이러한 관행은 낭만적 휴머니스트로 불리는 기질에서 연유하기도 하겠지만 이순의 연령에 이르도록 쓰여진 후기 단편에서 죽음과 대면하고서도 자유스러울 수 있기 위한 계속적인 노력 때문이기도 할 것이다.

3. 죽음의식과 초월의 공간

작품집 『탈』의 제목이 된 단편 「탈」은 짧은 2개의 단락으로 되어 있지만, 강한 탄력성을 가진 작품이다. 첫 단락에서 전쟁터에서 죽은 일병의 생명력이 억새, 황소, 일병을 죽인 사나이에게로 이어지는 순환과정을 통해 일병은 자기를 죽인 자와 동화된다. 둘째 단락에서는 비록 전쟁터에서 한쪽 팔을 잃었지만 '기운을 내어 걸을' 수 있는 다리를 가진 사나이가 '다리 하나 총탄에 맞아 못쓴다고 선반 깎는 일 못할 것 없잖아요'라는 앞뒤가 맞지 않는 난감한 대사로써 자기가 죽인 일병이 다리에 총탄을 맞았던 사실을 상기시킨다. 이 작품의 탄력성은 몇 개의 장면 제시를 통하여 산문적인 서술 없이 작가의 삶 의식 기층에 자리한 보응의 논리가 구체화되는 과정 속에 있다.

우리에게 익숙한 황순원 소설의 리얼리티를 정면으로 무너뜨리면서 한편으로 당혹스럽기까지 한 이 작품의 스토리 구성은 작가의 정교한 지적 조작 아래에서 강한 상징적 의미를 함축한다. 굳이 종교적 교리로 그 절목을 설명하지 않더라도 이는 확연하게 윤회전생의 인과응보를 말함인데, 원인과 결과가 필연적으로 연관되고 있다고 하는 견해가 인과설이라면 이 작품에서 일병과 일병을 죽인 사나이는 가늘지만 길고 질긴 하나의 연으로 묶여진다.

이 묶여짐을 통해 우리는 다음과 같은 두 가지의 사실을 알아차리게 된다. 하나는 서로 총검을 겨누었던 일병과 사나이가 인과의 연을 벗어날 수 없음을 통해 이 작가가 이순에 이르러 정리하고 있는 삶의 질서에 관한 것이며, 다른 하나는 우리가 누리고 있는 삶의 가시적 한계 그 너머에 적지 않은 용적의 또 다른 진면목이 내재해 있다는 세계인식의 방법에 관한 것이다.

보응의 논리는 원인과 결과를 상관시키는 냉엄한 이성의 눈길을 동반하는 것인데, 흥미롭게도 그 이성적 관점을 표현하는 방법이 삶의 범주를 벗어난 미분과 순환의 세계에 근거하고 있다. 그것은 분절된 물량적 삶이 아니라 영혼의 교감을 개방해 놓은 정신적인 삶의 모습이다. 죽음이 하나의 종착점으로 끝나지 않고 새로운 차원에서 삶의 의미를 지속시키고 있으며, 이러한 삶과 죽음의 구분을 무화시키는 초월적인 공간이 마련됨으로써 황순원의 죽음의식은 오히려 삶의 지평을 넓혀주고 있다.

그러면 이와 같은 초월적 공간은 어떠한 모습으로 드러나게 되는지를 알아보기 위해 그의 작품들을 몇 가지 유형에 따라 살펴보기로 한다.

3-1. 황순원의 소설에서 읽혀지는 정감 있고 안온한 분위기는 모성이라는 모티브에서 유발되는 경우가 많다.

「어머니가 있는 유월의 대화」에 등장하는 세 에피소드는 모성에 대한 긍정과 부정의 배타적인 형식들을 취하면서도, 마침내 현실적이든 잠재적이든 모성의 절대성을 암시하고 있다. 임진강을 몰래 건너 월남하면서 같은 배에 탄 동행인들을 살리기 위해 우는 갓난애를 강물에 던져 버린 어머니가 '퉁퉁 불은 양쪽 젖을 가위루 잘라' 버리는 대목은 섬뜩하기조차 하다.

황순원 소설의 모성은 시대의 흐름과 더불어 퇴색하는 감정이 아니라 오히려 점차 아름다움으로 변해가는 편이다. 아들이 어머니를 증오하거나 거부하면서도 잠재의식 속에서는 그리워하는 모습, 어머니 자신이 젖을 잘라버리는 냉혹한 자해를 통해 이성과 모성 사이에서 균형을 유지하는 모습은, 이 작가에게 모성의 강인함이 지고의 가치에 잇대어져 있음을 확인하게 한다.

「겨울개나리」에서의 의식불명의 환자와 간호하는 아줌마 사이에서 보이는 영혼의 교감, 「아내의 눈물」에서 목숨만 붙어있는 돼지새끼를 버리지 못하게 하는 아내의 시선, 그리고 「막은 내렸는데」에서 한 남자의 자살을 만류할 수 있는 창녀의 안온한 가슴은, 모두 모성의 힘이 삶과 죽음의 분기점을 의학적 진단과 같은 일상적 차원에서 정신적 감응과 결단의 차원으로 상승시키는데 매개되고 있음을 드러낸다.

단편집 『탈』에서 이러한 상승작용에 또 하나의 촉매제가 되는 것은 혈연의 끈질김이다.

「조그만 섬마을에서」는 진이라는 여인을 통해, 죽은 남편 욱이와 태중의 아들이 출생 전과 사후라는 동떨어진 경계를 넘어서 서로 깊은 연계성을 가진 바 있다고 믿는 심리적 상황이 제기된다.

좀 사이를 두고 주인 아주머니가 혼잣말처럼 담담하게 말을 이었다.

"자끄만 저렇게 큰 배만 보면 타고 싶어 야단이라우. 자만은 물허고 인연을 끊게 하고 싶었는데. 그렇지만 암마히도 끝까지 붙을 수는 없을 것 같어라우. 요새 와서는 이런 생각까지 들지 않겠서라우. 그날밤 자 아부지가 나를 흘케낸 것이 실상은 나를 부른 것이 아니고 그때 뱃속에 든 자를 흘케냈다는 생각이 말이라우."

— 「조그만 섬마을에서」

이 진술은 작중의 화자를 흠칫하게 하는데, 이 흠칫함은 '이런 외진 섬, 이런 여인에게서 그런 말이 나올 줄'을 몰랐기 때문이기도 하지만, 실상은 화자가 그 진술 속에 살아있는 명징한 삶의 진실에 공감하고 있기 때문이다.

죽은 아버지가 태중의 자식을 흘려낸다는 것은 상식적인 차원에서 불가능하지만, 영혼의 감응력이 개방된 정신적인 세계에서는 그다지 어려운 일이 아닐 터이다. 작가는 진이와 욱이 사이에 어린 시절부터 얽혀있는 과거의 사실들을 사실적으로 서술하면서, 결미에 이르러 죽음이 삶의 영역을 차단함이 아니라 바로 삶 속에 흡수되고 용해되어 있다는 형이상학적 관점을 제시한다.

이 조화롭지 못한 발화법이 안정감을 가질 수 있음은, 발단에서부터 주의 깊게 발전시켜 온 삶과 죽음 사이의 균형 감각이 마지막까지 지속되기 때문이다. 예컨대 열 살 되던 해 여름 거북바위에서 진이가 혼자 욱이를 죽음으로부터 구해낸 것은 말이 없어도 마음을 읽을 수 있는 영감어린 유대에 의해서이다. 그로부터 관계 지어진 두 사람의 삶은 부부가 되고 바닷가의 다른 사람들처럼 욱이가 풍랑 속에 실종되며 진이가 혼자 아들을 낳아 길러올 때까지 '어머니가 그랬고, 동네 아낙네들이 그러했듯이' 죽음과 바로 이웃하여 있는 것이었다. 작가의 시각은 이 짧은 가족사를 통해 삶과 죽음이 서로 다른 세계에 속하는 대칭적 개념이 아니라 하나의 현장에 같은 고리로 이어져 있는 동위원소와 같다고 보는 데 있다.

「피」에서는 살아가기 위해 다람쥐를 잡다 팔면서 새끼를 이용하여 수놈을 마저 잡으려는 사람들의 얘기가 나오는데, 그러한 포획법을 뒤집어 보면 죽고 사는 문제보다 앞서있는 피붙이간의 맥류를 밀도 있게 받아들일 수 있다.

이러한 피붙이간의 감응력의 밀도는 「수컷퇴화설」에서 암놈을 따라 단식 끝에 죽어가는 거위와, 암놈이 들어있는 끓는 솥으로 '내리 꽂히는' 해오라기의 삽화를 통하여 짐승의 세계에서 두드러지는 본능적 애정의 강도로 환기된다.

황순원 소설의 혈연 문제는 이성적인 것이기 보다는 본능적인 것이며, 일상적인 삶의 양태를 초월할 수 있는 하나의 알레고리로 나타난다. 그것이 보답을 바라지 않는 무조건적 사랑이라는 상투적 측면에 머물지 않고 생명력의 숨은 진리를 들추어내는 데까지 나아가는 것은 살아온 분량으로서가 아니라 그 질로서의 삶을 가늠하는 정신적 의미 공간의 존재를 상정하고 있기 때문으로 보인다.

3-2. 앞에서 삶과 죽음의 구분을 넘어서는 다면적 세계인식의 방법이 혈연의 감응력에 의해 삶의 영역을 확장하고 있음을 살펴보았다.

다음으로 작품 속의 화자와 대상자의 관점이 동화됨으로써 양자 간 내면의식의 합일이 이루어지고 그러한 통과제의적 통합 과정이 작품의 문학적 성과와 결부되어 나타나는 경우를 들 수 있다. 이 때 작품의 문학성은 화자의 관점이 대상자에게 근접되면서 나타나는 정동적 휴머니티의 감동과 그 설득력을 말한다.

「차라리 내 목을」은 말은 화자로 한 이니시에이션 스토리라는 면에서 이채롭다. 이 작품은 김유신과 천관에 관한 한편의 설화에서 추출된 단편이다. 김유신의 애마가 주인으로부터 죽음에 이르면서 그 죽음보다 값진 희생의 형이상학을 발견하게 될 때, 그것은 단순한 생명의 단절이 아니라 하나의 의식이다. 의식은 그와 관련된 행위에 신성함을 부여한다.

　제 눈이 도련님의 눈과 마주치는 순간, 저는 모든 걸 알아차렸습니다. 도련님의 계획은 딴 데 있었던 것입니다. 도련님이 허리에 찬 검으루 손을 가져갔습니다. 아가씨가 허겁지겁 몸을 솟구치며 제 목을 감싸 안았습니다. 도련님이 검잡지 않은 다른 손으루 아가씨를 왈살스레 밀쳐 냈습니다. 지금 도련님은 아가씨가 보는 데서 제 목을 베어 또 한 번 전시효과를 노리는 동시에 자기의 마지막 남은 가야국과의 관계물을 없앰으로써 가야국 허물을 완전히 벗자는 것임에 틀림없었습니다. 저는 달아날 틈이 없는 것두 아니었습니다. 허지만 그러구 싶지가 않았습니다. 도련님의 눈 저 안쪽에 슬픔이라구두, 괴로움이라구두, 외로움이라구두 딱이 가려 낼 수 없는 갈등을 보았던 것입니다. 이때처럼 도련님이 불쌍하구 측은하게 여겨진 적은 없었습니다. 도련님의 새루 장만한 서라벌 검에 내 피를 첫번째루 묻혀주자. 저는 도련님의 검이 어서 휘둘러지기를 목을 빼구 기다렸습니다.

—「차라리 내 목을」

김유신이 가야가 아닌 서라벌에서 입신양명하기 위하여 천관을 버리고 애마를 베어야 함은 비정한 현실이다. 화자는 말이다. 그는 '달아날 틈이 없는 것두 아니었지만, ……목을 빼구' 기다린다. 이 독특한 화자의 심중에서 도출되는 것은 원망과 분노가 아니라 애정과 이해이다. 화자는 작위적으로 죽음을 선택함으로써 김유신에게 새로운 길을 열어주려 한다. 말을 베고 천관의 집 문전에서 돌아선다면, 김유신은 모친에의 효행에 대한 칭송뿐 아니라 완전한 신라사람이 되었음을 표방하는 시위효과를 얻게 된다. 화자는 그 스스로 김유신의 내적 진실이 자기편에 있음을 믿으면서

이 외적 시위의 긴요함도 충분히 알고 있는 투로 말하고 있다. 말을 화자로 선택했다는 점, 동물로 하여금 삶과 죽음의 갈림길에서 내면의 갈등을 말하게 한다는 사실을 주목할 때, 우리는 이 나레이터의 설정이 오히려 일상성 그 뒷편에서 움직이는 의식의 정체를 드러내기에 더 유익하다는 데 동의하게 된다.

김유신이 가야국 사람이듯 말도 가야국의 말이며, 망국의 땅이 아닌 새로운 삶의 자리에서 새 길을 터 나가야 함에 대한 당위성에 공명함으로써 양자의 의식은 합일된다. 화자는 김유신을 원망하기도 하고 천관을 불쌍해하기도 하지만, 점차 자기의 의식을 김유신의 그것에 접근시켜 마침내 죽음의 순간, 그의 눈을 보고 모든 것을 알아차린다. 화자는 죽지만 대상자와 동화된 그 의식은 김유신의 앞날과 더불어 살아있게 된다.

이 작품은 단순하게 흥미로운 야사를 재구성한 소설로 치부해 버릴 것이 아니다. 화자의 내면적 의식을 추적하는 작가의 의중에는 삶의 도의와 엇갈림, 그리고 두 개체의 마음이 하나로 체득됨으로써 발현되는 이해와 용서의 미학이 숨어 있다. 여기서 작가가 집요하게 붙들고 있는 것은, 하나의 죽음이 보다 의미가 확대된 삶을 촉발시킬 수 있다는 제의적 관념일 것이다.

그러할 때, 아득하게 먼 듯 보이는 삶과 죽음 사이의 거리는 불현듯 지척으로 좁혀짐을 느끼게 된다. 타계한 친구를 침묵으로 조상하는 실명소설 「마지막 잔」은 이 상거를 한 잔 술로 넘고 있다.

그 잔을 달라니까.
나는 원을 괴롭혀온 모든 것들에 대해 새삼 통분을 느끼며 병밑의 술을 탁자 옆 허공에다 쏟아 부었다.
자, 받게!
그리고 덧붙였다.

앞으루도 내 마지막 잔은 자네에게 부어줌세. 그리고 자넬 그토록 괴롭혀
온 모든 것들을 되새김세!

―「마지막 잔」

'병 밑의 술을 탁자 옆 허공에다 쏟아 부음'으로써 망자와의 교감을 유
지하는 화자의 행위는 청신하다. 이 소박한 의식을 통해 화자는 죽음이
우리에게 밀착되어 있는 삶의 동반자임을 말하고 있다.

삶과 죽음의 거리를 술 한 잔으로 무화시키는 소설적 상황 구성은 결코
만만한 발견이 아니다. 초기 단편에서부터 주인공의 '떨림'을 안정시켜
온 술의 의미가 죽음의 중량을 감당할 만큼 진전된 것은, 황순원 소설의
문학성을 가늠해 볼 한 단서가 될 수 있으며 또한 그 작가의 세계관이 마
련해 놓은 시각의 원숙도와도 결부되어 있을 것이다.

마시는군.
음.

이러한 간략한 지문을 통해서도 화자의 친구와 관점이 동화됨은 어렵
지 않다. 친구의 대사를 화자가 대신하거나 그 역으로 되어도 별로 거부
감이 없을 만큼 두 사람의 거리는 근접되어 있다. 작품 속을 흐르고 있는
애절한 우의를 집약하여 망자를 대하고 있는 화자의 외로운 주석酒席은
초혼제의 제례에 필적할만하다.

그리하여 그들이 지금까지 누려온 평교간의 일상성이 시공을 초극하는
영혼의 교통으로 상승하고 있다. 이 상승 작용이 바로 산자와 죽은 자의
공간적 간극을 넘어서게 하는 동력원으로 기능하고 있다.

서로 다른 두 개체의 관점이 죽음이라는 제의적 과정을 통해 합일됨은,
삶과 죽음을 한 범주 안으로 통합하는 초월적인 공간을 계상하지 않고서

는 불가능한 일이다. 황순원에 있어 이 공간은 진솔한 정신력이 정화精華로 획득되는 것이지, 현실감각이 결여된 환상적인 것이 아니며 내세를 설정하는 종교적인 것은 더욱 아니다.

3-3. 황순원의 세계에서 문제적 주인공의 행동·사상이 입체적인 면모의 과정을 보이거나 도도한 시대사적 흐름을 이루는 모습을 찾아내기는 어렵다. 스토리를 이끌어 나가는 소설의 진행도 소극적이며 회의적인 인물을 중심으로 이루어진다. 김치수는 사랑과 진실 같은 것도 '순간적인 감정의 정직성'에서 발견되는 것이지 '이성적 윤리관'에 입각한 것이 아니라고 지적한 바 있다.

소설적 표현 방식에 있어서도 「소나기」에서 조약돌에 물기가 걷힌 것으로 시간의 흐름을 암시하듯, 단촐하고 극명한 이미지의 묘사를 통해 사건의 경과를 나타내는 것도 이 작가에게 특유한 오랜 기법의 관행이다.

절제된 세계가 내면의 결빙력을 갖고 있으되 제재가 한정되어 있고 소극적인 인물설정 등이 약점이라면 약점인데, 이를 무마시켜 주는 것은 인물, 구성, 주제를 구슬의 한 꿰미처럼 얽어내는 견고한 소설작법이다. 그러한 황순원의 장인정신은 평범한 삶의 현장에서 골라낼 수 있는 참으로 값진 것이 무엇인지를 분별하는 안목을 여는데, 그 안목이 우리가 논의해 온 초월적인 공간의 의미망으로 연계됨을 볼 수 있다.

아줌마가 소년의 옷을 벗겨준다. 그리고 보니 갓난애의 몸뚱이다. 안아다 자릿속에 눕힌다. 갓난애는 이미 잠들어 있다. 이불을 꼭 여며주고는 애의 볼에다 자기 볼을 가져다 댄다. 보드랍고 따뜻했다. 볼을 떼고 싶지 않았다. 그러나 오래 그러고 있다가 애가 잠이라도 깨면 어쩌나 싶어 볼을 뗀다. 애가 푸욱 잠을 잘 수 있게 이 밤이 새지 말고 길게 이어지기를 아줌마는 바란다.

이틀씩이나 교회 아줌마의 기척이 없어 사흘째 되는 날 목사 부인이 지하
실방 문을 열어보니, 잘 여며진 이불 밖에 내의바람인 아줌마가 몸을 꼬부리
고 한 손으로 이불 속의 사람을 싸안은 채로 죽어 있었다.

— 「뿌리」

비록 그 이불 속에는 아무도 없지만 남루한 삶을 마감하면서까지 소중
히 간직한 교회 아줌마의 내심에는 죽은 아들이 숨겨져 있다. 주위의 사
람들은 알아차리지 못하는 가운데, 교회 아줌마는 끊임없이 이 아들과 대
화와 온정을 나누고 있다. 아들이 야간 공고에 다니는 자동차 정비공에서
소년으로, 또 갓난애로 변형되어 나타나는 여러 모습은 교회 아줌마의 심
리 상태와 밀접하게 연관되어 있다.

이러한 비밀이 그를 한차례 죽음의 순간을 넘기고 생명을 이어가게 하
는 근원적인 힘으로 암시되기도 하지만, 그 암시는 부차적인 것이다. 왜
냐하면 아들의 죽음을 승인하지 않음으로써 지속되는 환각상태에서, 교
회 아줌마는 빈 이불 속에 아들을 여며놓은 것으로 생각하고 죽었을 만큼
삶과 죽음의 경계를 모호하게 체험하고 있었기 때문이다. 교회 아줌마의
죽음은 김권사의 말처럼 '이 세상 근심걱정이 없는 천국에 가게 되어서
기쁜' 것이 아니라 언제나 그 아들과 함께함으로써 이미 죽고 사는 문제
의 가치개념을 떠나 있는 것이다. 이 아줌마의 삶을 지탱하는 뿌리는 오
직 그 아들일 뿐이다.

절실한 원망願望이 응축되어 있는 한 인간의 내면이 남겨놓은 치열한
족적을 묘사함으로써 이 작품은 우리에게 싱싱한 감동을 준다. 죽음도 침
범하지 못하는 이 견고한 개인의 성채를 누가 무너뜨릴 수 있을까? 죽음
은 그것을 두려워하는 사람에게만 위력이 있을 뿐, 삶과 죽음을 같은 존
재양식으로 치부해 버리는 태도 앞에서는 별다른 강세를 보여주지 못함
을 보게 된다.

「뿌리」는 노추하고 보잘 것 없는 삶의 모래밭에서 사금처럼 반짝거리는 진실의 축적을 예시하고 그 소재를 캐어난 작품이다. 그 작가가 논거하고 있는 평범한 사람들의 죽음은 이처럼 조촐하지만 내면적 품격을 갖춘 것이며, 그것이 참으로 순수하고 자연스러울 때 '장엄한 흩어짐'으로 표상되고 있다.

석양 그늘 속에 은행나무는 한창 황금빛으로 물들어 있었다. 가을이 온통 한데 응결된 듯만 싶었다. 얼마든지 풍성하고 풍요했다.
그 둘레를 서성거리고 있는데 난데없는 회오리바람이 일어 은행나무를 휘몰아쳤다. 순식간에 높다란 나무 꼭대기 위에 새로운 장대하고도 찬란한 황금빛 기둥을 세웠는가 하자, 무수한 잎을 산산이 흩뿌려 놓았다. 아무런 미련도 없는 장엄한 흩어짐이었다.
— 「나무와 돌, 그리고」

범상한 삶의 경험 가운데서 암시되는 장엄한 죽음의 모습이다. 화자는 '뭔가 속 깊은 즐거움에 젖어 한동안 나뭇가지를 떠날 수'가 없다. 그는 단순히 계절의 생명을 끝내는 은행나무 잎을 보고 있는 것이 아니라, 삶과 죽음이 상징적으로 통합되는 절체절명의 순간에 내면적 충일이 '황금빛 기둥'으로 극대화되는 환각을 체험하고 있다. 시 「기운다는 것」에서 '내 몸짓으로 스러지는 걸' 보아 달라고 하는 작가는, 삶과 죽음의 접점에서 그 몸짓이 격에 맞는 것일 때 '아무 미련도 없는 장엄한' 모습으로 드러날 수 있음을 인식했던 것이다.
1966년에 발표된 「우산을 접으며」에서 어항 속의 열대어를 손으로 죽일 만큼 충동적이던 작품 속의 노인은, 1975년의 「나무와 돌, 그리고」에 와서 일상적인 삶의 외경스러움을 눈앞에 펼쳐 보일만큼 안정되어 있다. 이는 곧 10년간의 세월에 걸쳐 황순원의 소설세계를 관류하는 삶 의식의 본질이 그 자리를 굳혀가는 변화 과정의 현상화된 모습이기도 하다.

「나무와 돌, 그리고」에서 보듯, 노년의 관조적인 삶 속에서 '돌과 철쭉의 은근한 강박으로 인한 괴로움'을 지닐 만큼 지난날의 경미한 잘못까지 겸허하게 반추하는 화자의 자세는 아름답다. 그 가운데서 느끼는 '까닭모를 서글픔'은 '남들에겐 하찮게 여겨질, 그 자신에게 있어서도 이미 망각의 심연 저쪽에 묻혀져도 그만일 사소한 일들에 대한 뉘우침' 때문이다. 이 서글픔과 뉘우침이 허약한 노인의 강박신경증이 아니라 반성하는 삶의 진지함으로 나아가는 것은, 한 사람의 생애가 실린 신념의 무게 때문이다.

절박한 삶 가운데서 '찬란한 황금빛 기둥'과 '장엄한 흩어짐'의 환각을 진술하고 있음은 곧 범상한 죽음도 지고의 가치에 이를 수 있다는 신념에서이며, 보편적 인간에게 주어질 수 있는 깊은 깨우침을 형상화함이다. 따라서 환각적인 죽음의 순간에 발산되는 황금빛 휘황한 광채는, 삶의 전 마디를 한꺼번에 조명할 만큼 강렬할 수밖에 없다.

이러한 신념은 영웅주의나 민중주의의 도식적 좌표와는 관계가 없다. 역사적이고 사회적인 위업과는 거리가 먼 평범한 삶 속에서, 소박하고 진실한 인간애로써 감명을 불러오는 소설의 사실성은 우리가 소중히 간직해야 할 문학적 자산의 하나이다.

4. 마무리

지금까지 살펴 본 바와 같이 황순원의 소설에 있어 '어떻게 죽을 것이냐'하는 문제는 곧 '어떻게 살 것이냐'하는 문제와 환치될 수 있다. 다시 말하면 죽음 역시 삶의 한 모습으로 인식되어 있으며, 죽음의 무게가 그때까지 살아온 삶의 부피와 더불어 자리매김 되는 것이지 단순히 그 순간에 처한 상황만으로 평가되지 않음을 확인할 수 있었다.

10년여의 작품 활동을 통해 한 작가가 삶과 죽음의 문제만 순차적으로 탐구해 나갔다고 볼 수는 없겠지만, 그간의 작품들을 통해 그의 죽음의식이 어떤 양상으로 드러나며 어떻게 작가로서의 원숙함을 증거하는지 살펴본 바 있다.

삶과 죽음의 문제에 관련된 이해와 용서, 혈연의 교감, 두 의식의 통합, 평범 속의 진실 등을 관류해 흐르는 기본적인 명제는 단편 「탈」에 나타난 순환적인 보응의 법칙이었다. 그것은 삶과 죽음 사이의 경계를 무화시키는 지순한 정신력이 정화를 승인함이다. 죽음의 문제에 접촉하는 작가의 상상력은 세상살이의 저변에 뿌리를 두고 있으면서도 '높다란 나무 꼭대기 위에 찬란한 황금 기둥'을 세우듯 보편적인 삶의 현장을 초월해 있다. 이 초월의 공간은 죽음이 흐르는 강의 피안과 차안 모두에 걸쳐져 있다.

왜 이 작가는 이러한 초월의 공간을 설정하게 되었을까? 이는 서두에서 언급한 바와 같이 한국문학사에서 드물게 볼 수 있는 '노년의 문학'을 설명하는 것과 다르지 않다. 그것은 천이두의 지적을 반복하자면, '노년기의 작가가 생산한 문학'이라는 의미만이 아니라 '노년에 이르도록 창작을 계속해 온 작가의 세계에서 만날 수 있는 원숙한 분위기의 문학'이라는 뜻이다.

끊임없이 두려운 존재로 다가오는 죽음의 문제에 맞서서 이 작가는 자신에게, 그리고 우리 문학에도 그 대응의 한 방식과 힘을 마련해 주었다. 우리는 그 방식이 육신의 구속을 떠나 정신적인 상승과 초월의 세계로 나아감을 납득할 수 있다. 「탈」이후에 작가가 발표한 4편의 단편에서는 지나온 자신의 삶 전체를 돌아보면서 삶과 죽음의 의미에 대한 보다 관조적인 시각을 부각시키고 있으며, 또한 작품 활동의 말미에 발표한 함축적인 시편들을 통해서도 이 문제는 지속성 있게 탐구되고 있다.

황순원의 작품들을 통해 볼 수 있듯 소설은 전지적 설명이 없어도 작가에 의해 인격이 부여된 구체적 개인을 통해 말하기, 즉 인물의 형상화를 통해 깊이 있는 감동의 바닥에 이를 수 있다. 이것은 소설의 특성이자 강점이다. 사실주의를 예술의 건전한 경향이라고 하는 N. 하르트만의 말도 결국 이와 같은 맥락 속에 있다. 만약 황순원 소설이 삶과 죽음의 존재양식을 저 전후의 『원형의 전설』 같은 관념적이고 사변적인 말하기 방법으로 형상화했다면, 이제껏 논의해 온 작품의 감동과 설득력은 찾아보기 어려웠을지도 모른다.

보편적인 삶의 사실적인 표현에서 초월적인 생사관의 구체화에 이르고 있는 황순원은 이러한 측면을 누구보다 잘 알고 있는 작가였을 것이다.

황순원 문학의 연구 경향과 방향성

황순원의 문학에 대한 연구는 1980년 문학과지성사에서 낱권으로 기획한 황순원 전집 열두 권이 5년간에 걸쳐 발간되기 시작하면서 새롭게 조명되고 분석적으로 연구되기 시작했다. 전집의 12권인 『황순원 연구』는 연구 사료의 정리에 좋은 이정표가 되었고, 전집이 완간된 1985년 3월에 상재된 「말과 삶과 自由」도 이 작가의 전기적 일화나 문체 연구를 포함하여 활발한 연구 분위기를 촉발시켰다.

개별 작품들에 대한 소략한 비평이나 부분적 언급이 주류를 이루는 가운데 황순원 소설에 대한 전반적이고 포괄적인 논의로는 천이두, 이보영, 이태동 등의 평론이 주목할 만하다. 천이두는 「종합에의 의지」(『현대문학』, 1973.8)에서 단편이 보여준 토속적 세계와 장편이 보여준 현대적 도회적 세계가 『움직이는 성』에 와서 양립적이며 이율배반적인 대치국면을 이루고 있다고 보았다. 황순원 문학의 이원적인 세계를 간취하고 있는 이 글은 작품의 구성과 인물 분석을 통해 일원적인 세계로의 종합 가능성을 고찰하고 있다. 이보영의 「황순원의 세계」(『현대문학』, 1970.2-3)는 황순원 문학의 창조적 원동력인 '삶의 환멸과 권태'를 '사물의 이면을 직감하는 회의적인 시선', '세밀하고 냉철한 사물의 관찰태도' 등의 창작 태도와 관련지어 논의하면서, 구체적인 작품 분석을 작가 의식의 변모과정에 대한 고찰로 발전시키고 있다. 이태동의 「실존적 현실과 미학적 顯現」(『현대문학』, 1980.11)은 황순원 문학이 결코 시대적 현실과 유리된 문학이 아니라, 역사적인 배경 속에 자연주의와 리얼리즘을 함축성 있게 수용한 후, 거기에다 낭만주의적이고 초월적인 인간 정신과 인간 가치를 확대시켜 양면성을 가진 실존적 색채의 상징주의 문학을 이룩했다고 보고 있다. 그 외에, 김병익의 「순수문학과 그 역사성」(『한국문학』, 1976), 김현의 「소박한 수락」(『황순원 문학전집』 제6권, 삼중당, 1973), 염무웅의 「8.15 직후의 한국문학」(『창작과비평』, 1975년 가을호) 등은 황순원 문학이 사회인식과 역사의식의 산물임을 입증하려고 시도했다. 『작가세계』 1995년 봄호에 마련된 황순원 특집에 실린 김종회의 문학적 연대기 「문학의 순수성과 완결성, 또는 문학적 삶의 큰 모범」은, 작가의 생애와 작품과의 관계를 전체적으로 조감하고 있는 글이다.

학술논문으로 주목할 만한 것은 박혜경과 장현숙 등의 논문이다. 박혜경의 『황순원 문학 연구』(동국대 박사학위논문, 1995)는 황순원 문학의 지속적 측면과 변화의 측면을 아우르는 포괄적인 논의를 보여준다. 모성성/부성성, 혹은 설화성/근대성이라는 이항대립적 등식을 지속적 측면으로, 시에서 장편소설에 이르는 장르상의 이행을 변화의 측면으로 보고, 지속과 변화 사이에 내재된 길항관계를 의미화하고 있다. 장현숙의 『황순원 문학 연구』(경희대 박사학위논문, 1994)는 주제의식의 전개양상과 지향성에 따라 시기별로 황순원의 소설을 정리하고 있다. 소설 전 작품을 빠짐없이 분석하고 있다는 것이 미덕이다. 그 외에 양선규와 허명숙의 논문도 있다. 양선규의 『황순원 소설의 분석심리학적 연구』(경북대 박사학위논문, 1992)는 심리적 동기에 입각해 텍스트의 미학적 원리를 밝히고 있고, 허명숙의『황순원 소설의 이미지 읽기』(월인, 2005)는 이미지의 생성, 변모 과정을 통해 이미지가 내포하는 상징적 의미와 그것의 지향성을 서사적 흐름과 관련지어 분석하고 있다. 황순원 연구에 대한 단행본으로는 김종회가 편한『황순원-작가론 총서』(새미, 1998)가 주목할 만하다.

이 책에 수록된 작품에 대한 개별적인 작품론으로 주목할 만한 것은 다음과 같다.『카인의 후예』의 경우는 김인환, 김병익, 조남현 등의 논의가 대표적이다. 김인환의「인고의 미학」(황순원전집 6권, 문학과지성사, 1981)과「여성주의 소설의 미학」(『작가세계』, 1995년 봄호)은『카인의 후예』가 광복 전후의 사태를 충실히 그려냄으로써 기존 작품의 개인적 세계와 역사적 국면들이 결합되는 양상을 지적하고 있다. 또한 '오작녀' 등의 인물을 중심으로 표출되는 황순원 소설의 여성주의를 한국적 심성의 구체적 보편이라 해석했다. 김병익은「수난기의 결벽주의자」(황순원문학전집 제5권, 삼중당, 1973)에서『카인의 후예』를 논하면서, 문학적 의미뿐 아니라 해방과 더불어 체험하게 되는 정신사적, 사회사적 변화를 읽을 수 있다고 평가했다. 조남현은「우리 소설의 넓이와 깊이, 황순원의『카인의 후예』」(『문학정신』, 1989.1.2.)에서『카인의 후예』의 판본 비교를 통해 작가의 개작 의도를 천착했다. 김종회의「순수성과 서정성의 문학, 또는 문학적 완전주의」(『문학의 숲과 나무』, 민음사, 2002)는 '격동의 시대와 모성적 사랑의 결합' 이라는 관점으로『카인의 후예』를 점검하고 있다.

『나무들 비탈에 서다』에 대한 단독적 작품론은 많지 않다. 이보영이 도스토예프스키의『죄와 벌』과의 비교를 통해 권태와 무관심의 징후를 읽어냈으며(「황순원의 세계」), 이태동은 사회적인 리얼리즘과 실존주의적인 인간 의식의 차원에서 소설에 접근하고 있다(「실존적 현실과 미학적 顯現」).『나무들 비탈에 서다』에 대한 구체적 논의로는 송상일의「순수와 초월」(황순원전집 7권, 문학과지성사, 1981)이 있다. 그는 전쟁의 현실이 작가로 하여금 인간 존재에 대한 통찰의 성숙을 가능하도록 했다는 점과 그것이 장편 장르의 선택과 필연적으로 관련된다는 점을 지적했다. 윤리의 문제를 사회적 윤리가 아닌 인간 존재의 본성적 문제로 다루려는 점에서 일종의 운명론으로 전락한 위험을 비판하지만, 순수의 양면성에 눈을 돌리고 있다는 점에서 장편적 리얼리즘의 세계로 전망을 넓혀가고 있다고 평가했다. 그 밖에, 조남현의 「우리 소설의 넓이와 깊이」, 「『나무들 비탈에 서다』, 그 외연과 내포」(『문학정신』, 1989.4.5.)는 작품에 내포된 상징성을 중심으로 한 연구이다.

단편 「너와 나만의 시간」에 대한 자세한 언급은 거의 찾아볼 수 없는 바, 황순원전집 4권(문학과지성사, 1982)에 실린 권영민의 글에서 도움을 받을 수 있다. 권영민은 「일상적 경험과 소설의 수법-황순원의 단편들」에서 초기 단편과의 비교를 통해 논의를 전개하고 있다. 초기 단편들이 문체의 간결성과 감각적 인상으로 시적 서정성을 확보하고 있다면, 이 시기의 단편들은 일상적인 체험의 영역을 폭넓게 수용하여 현실세계 쪽으로 시선을 돌리고 있다는 것이다. 또한 전개 방식 상, 인상적인 사건의 일면을 제시하면서 서로 다른 에피소드를 결합하는 간접적인 접근법을 활용한다는 점을 들어 뛰어난 스타일리스트로서 황순원을 평가하고 있다.

이외에 황순원 소설의 문체에 대한 분석으로 권영민의 「황순원과 산문 문체의 미학」(『말과 삶과 自由』, 문학과지성사, 1985)과 우찬제의 「말무늬, 숨결, 글틀」(『황순원』, 새미, 1998)을 참고할 수 있다. 최동호의 「동경의 꿈에서 피사의 사탑까지」(『말과 삶과 自由』)는 황순원의 시 전반에 대한 총괄적 이해를 가능하게 하는 글이다.

문학의 순수성과 완결성,
또는 문학적 삶의 큰 모범

— 문학적 연대기, 「나의 꿈」에서 「말과 삶과 자유」까지

한일합방으로 인하여 한반도에 대한 일제의 병탄과 압박이 시퍼렇게
날이 서 있던 1915년 3월. 그 26일에 북녘땅 문물의 중심지인 평양 부근,
정확하게 말하자면 평안남도 대동군 재경면 빙장리에서 한 생명의 탄생
을 알리는 고고의 울음이 있었다.

황순원! 한국 현대문학에 있어 온갖 시대사의 격랑을 헤치고 순수문학
을 지켜온 거목이자, 작가의 인품이 작품에 투영되어 문학적 수준을 제고
함에까지 이름으로 작가 정신의 사표로 불리는 황순원은 이러한 시간적,
공간적 상황을 점유하며 이 세상에 왔다.

부친 찬영(자는 추은, 1892년 음력 7월 16일~1972년 양력 12월 19일)
씨와 모친 장찬붕(본관 광주, 1891년 음력 12월 7일~1974년 양력 1월 10
일) 여사의 맏아들로 태어났으며, 나중에 자를 만강晚岡이라 했다.

이 연대기적 사실을 통하여 우선 짐작해 두어야 할 일은, 황순원이 살

아온 험악한 시대의 파고 가운데서도 그의 생애가 상대적으로 유복했다는 점이다. 부모의 생몰 연대가 해방 공간과 민족상잔의 전란을 넘어 가로놓여 있으므로, 이 시기에 북녘에 고향을 둔 이들 거개가 부모와 생이별하고 혈육 이산의 통한을 끌어안고 살아온 그 비극을 피해 갈 수 있었음은 정녕 큰 축복이 아닐 수 없었다. 황순원은 함께 월남한 양친을 팔순까지 모셨으며 순만, 순필 두 동생도 모두 월남하여 사회적으로 자기 몫을 다하며 살아간 경우이니 일찍이 맹자가 삼락 가운데 첫째로 꼽은 '부모구존 형제무고'가 이에 여실히 부합한다 할 수 있겠다.

필자는 대학 입학에서부터 학위 과정을 모두 마칠 때까지 제자로서 작가를 모시고 있었으며 그런 만큼 객관적 기록으로 정리되지 아니한 이런저런 일이나 일화들을 적잖이 기억하고 있다. 작가는 언젠가 양친의 함자 중에 공통으로 '찬' 자가 들어 있음을 들려주었는데, 그때의 어투나 표정으로 보자면 양친에 대한 최대한의 존경심을 반영하고 있어 동석한 제자들이 한가지로 옷깃을 여미곤 했다.

만강이라는 자를 두고 있었으나 이를 실제로 사용한 적은 필자의 기억에 없다. 다만 그 사용하지 않은 사유에 대한 변론은 들은 바 있다. 황순원이란 이름 석 자를 바로 감당하기도 쉽지 않은데 또 다른 이름을 써 무엇하겠느냐는 반문이 그것이었다.

이 황 씨 가문의 본관은 제안이며, 누대에 걸친 향리의 명문이었다. 조선시대 영조 때 평양에 '황고집'이라는 유명한 효자가 있었고 그의 조상 공경과 강직 결백함은 이름이 높아 이홍식 편 『국사대사전』에까지 올라있는데, 이 '황고집' 또는 이를 호로 딴 집암 곧 본명이 순승인 분이 작가 황순원의 8대 방조이다.

이 가문의 기질적 전통이 황순원의 조부 연기, 부친 찬영, 황순원 자신, 그리고 장남인 시인 동규에 이르도록 생생하게 발견된다고 김동선은 「황고집의 미학, 황순원의 가문」이라는 글에서 밝히고 있으며 이를 구체적 사료와 사례를 들어 설명하고 있다. 예컨대 노환으로 몸져누웠을 때나 자녀의 훈육에 있어서 조부가 보여 준 결백과 과단성, 3·1 운동 때 옥고를 치르며 과수원, 산림, 저수지 사업에 차례로 집착을 보인 부친의 외골수 성격 등이 그에 해당된다.

30여 년에 걸쳐 지속적으로 변화하고 승급하면서도 순수문학과 미학주의를 지향하는 그 전열을 흩트리지 아니한 황순원 작품 세계의 본질을 구명함에 있어서, 우리는 이와 같은 황고집 가문의 기질과 음덕이 밑바탕에 잠복해 있음을 간과할 수 없는 것이다.

1919년 3·1 운동이 일어나던 해 황순원은 다섯 살이었으며 평양 숭덕학교 고등과 교사로 재직 중이던 부친이 태극기와 독립선언서 평양 시내 배포 책임자의 한 분으로 일경에 체포되었다. 부친은 이로부터 1년 6개월의 실형을 언도받고 감옥살이를 시작했다.

> 그 시절이라면 아버님께서 3·1 운동 관계로 옥살이를 하실 때다. 나는 어머님과 단둘이 시골 고향에 살았다. 지금도 생각난다. 어머님께서 혼자 김매시는 조밭머리 따가운 햇볕 아래서 메뚜기와 뻐꾸기 소리만 벗하여 기나긴 여름날을 보내던 일…… 그리고 시력이 좋지 않으신 어머님을 모시고 다섯 살짜리 내가 앞장을 서서 그 말승냥이가 떠나지 않는다는 함박골을 지나 외가로 오가던 일…… 아마 나의 고독증은 이 시절에 길리워진 것인지도 모른다.

> 이 고독증에 대한 확인의 한 형태가 일본 가 있을 때 동경학생예술좌라는 극연극단체 창립의 한 사람이 되게 한 것은 아닐까.

어린 시절의 고독증에 대해 1951년에 쓴 이 글은 동경학생예술좌까지만 연계하여 그 상관성을 상정하고 있지만, 마침내는 그것이 추후 우리가 『일월』이나 『움직이는 성』에서 목도하게 되는 존재론적 고독감에까지 그

파장을 미치게 한다고 볼 수도 있을 법하다.

일곱 살이 되던 1921년에 황 씨 집안은 평양으로 이사하고, 이후 황순원은 숭덕소학교에 입학한다. 소학교 시절에 황순원은 당시로서는 드물게 스케이트도 타고 철봉이나 축구도 했으며 바이올린 레슨도 받았다고 한다. 평양에서의 소학교 시절에 화가 이중섭과 함께 학교를 다녔다는 기록도 있다.

열두세 살 때부터 체중을 다스리기 위해 어른들의 허락을 받고 소주를 마시기 시작했는데, 그로써 소주 애호가가 되고 스스로도 문학보다 술을 먼저 알았다고 술회한 바 있다. 그때 반 홉씩 마셨으니 나이에 비추어 그 주량이 미소한 것이 아니었고 학창 시절에는 대체로 두 홉 정도의 주량을 일정하게 유지했다고 한다.

열다섯 살 나던 1929년, 황순원은 정주의 오산중학교에 입학한다. 건강 때문에 다시 평양의 숭실중학교로 전학하기까지 한 학기를 정주에서 보낸다. 여기서 황순원은 중요한 체험 한 가지를 얻게 되는데 그것은 다름 아닌 남강 이승훈 선생과의 만남이었다. 단편 「아버지」(1947)에 그분에 대한 작가의 감회는 다음과 같이 서술되어 있다.

그때 이미 선생은 현직 교장으로서는 안 계셨는데도 하루 걸러끔은 꼭꼭 학교에 오셨다. 언제나 한복을 입으신 자그마한 키, 새하얗게 센 머리와 수염. 수염은 구레나룻을 한 치 가량 남기고 자른 수염이었다. 참 예쁘다고 할 정도의 신수시었다. 그때 나는 남자라는 것은 저렇게 늙을수록 아름다워질 수도 있는 것이로구나 하는 걸 한두 번 느낀 것이 아니었다.

물론 이때 그가 남강에게서 본 노년의 기품과 원숙한 아름다움은 겉으로 드러난 외형적인 것만일 리 없다. 그렇기에 「아버지」에서도 남강의 기개와 인품에 대한 부연이 있다. 아울러 그는 또다시 그러한 유형의 아름다움을 가진 남자를 부친에게서 발견했다고 적었다.

이러한 범례의 적용은 우리들, 즉 독자나 제자나 친지들이 이 작가의 노년을 바라보는 시각에도 아무런 주저 없이 도입될 수 있는 것이었다. 대표적으로 제자이자 작가인 전상국이 「문학과 더불어 한평생」(1980)이란 제하의 대담에서, 중학 신입생 시절에 남강을 관찰한 그 혜안에 감탄하면서 스승의 그 관찰력을 자신이 스승을 바라보는 시각에 겹쳐 보이는 글쓰기의 묘미를 보여준 바 있다.

오산중학교에서 한 학기를 지내고 평양으로 돌아왔으니 숭실중학교로의 전입학은 그해 9월이었다. 부친과 삼촌 세 분이 모두 숭실 출신이었는데, 바로 밑의 아우 순만은 후에 평양 제2고보를 졸업했다. 같은 해 11월, 저 남쪽에서는 광주학생사건이 일어났고 동시대 젊은이들의 가슴에 맺힌 식민지 지식인의 울혈이 점점 깊어 가던 때였다.

숭실중학교 재학 중이던 1930년, 이팔청춘 열여섯의 나이에 드디어 황순원은 시를 쓰기 시작한다. 나중에 익히 알려진 일이지만, 그는 시인에서 출발하여 단편소설 작가로 자기를 확립했고 다시 장편소설 작가로 발전해 간 사람이다.

이듬해 7월에 처녀시 「나의 꿈」을, 9월에 「아들아 무서워 말라」를 『동광』에 발표하기 시작하여 시작詩作과 발표를 거듭했으며 1932년 5월 시 「넋 잃은 그대 앞가슴을 향하여」가 『동광』 문예 특집호에 발표됨과 함께 주요한으로부터 김해강, 모윤숙, 이응수와 더불어 신예 시인으로 소개받았다.

계속해서 시를 써 나가는 도중에 황순원은 1934년 숭실중학교를 졸업하고, 일본 동경으로 유학하여 와세다 제2고등학원에 입학한다. 여기에 재학하는 동안 이해랑, 김동원 등과 함께 전기한 바 있는 극예술 연구 단체 동경학생예술좌를 창립한다. 그해 11월, 이 단체의 명의로 첫 시집 『방가』를 간행하기에 이른다. 교포가 경영하는 삼문사에서 인쇄하고 서울 한

성도서를 총판으로 한 이 시집은 양주동의 서문과 시인의 짧은 머리말, 그리고 스물일곱 편의 시를 수록하였다. 모두 84면, 정가 50전, 500부를 찍었는데, 이듬해 여름인 8월에 방학을 맞아 귀성했다가 조선총독부의 검열을 피하기 위해 동경에서 시집을 간행했다하여 평양경찰서에 29일간 구류를 당하기도 했다.

한편 1935년 1월, 황순원은 재학 중에 당시 일본 나고야 금성여자전문의 학생이던 양정길(본관 청주, 1915년 9월 16일 생으로 동갑임) 여사를 일생의 반려자로 맞아들인다. 숙천에서 과수원을 경영하며 만주 봉천에 사과를 수출하기도 한 양석렬의 장녀인 신부는 평양 숭의여학교 다닐 때 문예반장을 지냈고 황순원과는 이때부터 교제가 있었던 것으로 알려져 있다.

세월이 오늘에 이른 다음에 돌이켜 보면, 황순원과 그의 문학은 신앙심이 깊고 활동적이며 무엇보다도 문학에 대한 조예를 갖춘 부인의 조력을 비길 데 없는 원군으로 얻게 되었던 셈이다. 작가 자신도 언젠가 부인이 없었더라면 이만큼의 황순원 문학이 불가능했을 것이라고 회고한 적이 있다.

시집 『방가』로 인하여 한 달간 구류를 살고 나온 그해, 그러니까 결혼하던 해 10월, 황순원은 신백수, 이시우, 조풍연 등이 주도하여 서울에서 발행하던 『삼사문학』의 동인으로 참가한다. 이 동인지는 모더니즘을 표방하되 김기림이나 김광균의 서정적 요소에 불만을 품고 쉬르리얼리즘의 경향을 보였다.

그 다음 해인 1936년, 황순원은 와세다 제2고등학원을 졸업하고 와세다대학 문학부 영문과에 입학한다. 입학하던 3월에 동경에서 발행되던 『창작』의 동인이 되어 시를 발표하는가 하면, 5월에 제2시집 『골동품』을 역시 동경학생예술좌 발행으로 첫 시집과 같은 인쇄, 총판사를 통하여, 그러나 발행인은 시인 자신의 이름으로 간행하였다. 모두 스물두 편의 시를 수록하고 고급 케이스 장정으로 제작한 이 시집은 56면, 정가 90전에 220부 한정판이었다.

이 두 권의 시집 발간 이후에도 황순원은 간간이 시를 썼으나 단행본으로 묶지는 않았으며, 연이어서 단편소설과 장편소설의 세계로 넘어간 다음 노년에 이르러 다시 함축적이고 의미 깊은 시편들을 발표하여 주목을 끌었다.

1985년 문학과지성사에서 낱권으로 기획한 전집의 제11권 『시선집』에서 황순원은 두 시집 이후 자신의 시를 「공간」(1935~1940), 「목탄화」(1945~1960), 「세월」(1974~1984)의 세 단락으로 정리함으로써 독자들의 편의 및 후학들의 연구를 도왔다.

단편 작가로 입신, 문학적 성숙을 예비한 서장

황순원이 스물세 살 나던 1937년은 그의 문학에 있어 하나의 중요한 전환점이 된다. 문학의 길로 들어선 이래 시만 써 오던 창작 관행을 탈피하여 소설을 발표하기 시작한 첫해였기 때문이다. 그의 첫 소설 작품은 7월에 『창작』 제3집에 발표된 「거리의 부사」였고, 이듬해인 1938년 10월 「돼지계」와 시 「과정」, 「행동」을 작품 제1집에 발표함으로써 이 동인지에도 발을 들여놓았다.

1938년 장남 동규, 2년 후 차남 남규, 3년 후 딸 선혜, 또 3년 후 3남 진규를 얻음으로써 황순원은 3남 1녀의 아버지가 되고 동규를 얻은 그 이듬해 스물다섯 살의 나이로 와세다대학을 졸업한다.

소설을 쓰기 시작한 지 3년 만인 1940년 황순원의 첫 단편집인 『황순원 단편집』이 서울 한성도서에서 간행된다. 이 책의 표지화인 선인장 그림은 동생 순필이 그렸다. 후에 작가 자신에 의해 '늪'으로 제목이 바뀐 이 창작집에는 집필 시기가 기록되지 않은 열세 편의 단편이 실려 있으며, 그전 단계인 시인의 체취가 사뭇 강력하게 남아 있는 단단한 서정성의 세계를 보여 준다. 이 작품들은 주로 와세다대학 문학부에서 수학하면서 쓴 것인데, 황순원은 이들에 대해 「자기 확인의 길」에서 '시가 없어 뵈는 나 자신에 대해 소설로써 내게도 시가 있다는 확인을 해 보인 것은 아닐까' 라고 기술해 놓고 있다.

이 해에 황순원에게는 또 하나 중요한 사건이 있었다. 일생을 두고 가장 가까이 교분을 맺은 친구였던 원응서와의 만남이 그것이다. 원응서는 황순원의 인간과 문학을 말한 「그의 인간과 단편집 기러기」(1973)에서 1940년 여름 평양 기림리 모래터의 ㄱ자집 뒤채 그의 서재에서 '황형'을 처음 만났다고 했다. 이곳은 또한 작품집 『기러기』의 간접적 배경이 되는 장소이기도 하다.

『기러기』가 출간된 것은 1951년이지만 거기에 실린 작품들의 생산연대는 1940년에서 해방 직전까지의 기간이었다. 「별」과 「그늘」 두 편을 제외한 나머지 열세 편은 1941년 태평양 전쟁 발발 이후 일제의 한글 말살 정책으로 발표되지도 못하고 '그냥 되는 대로 석유 상자 밑이나 다락 구석에 틀어박혀 있을 수밖에 없었던' 것인데, 황순원은 그곳 기림리에서 술 상을 가운데 놓고 원응서에게 작품을 낭독해 주곤 했다. 말하자면 원응서는 당시의 유일한 독자가 되었던 셈이다.

원응서는 황순원보다 한 해 먼저 1914년 평양에서 출생했으며, 일본 릿교대학 영문학부를 졸업하고 집에 와 있던 때였다.

이 두 사람은 문학의 친구이자 술 친구이며 인생의 진진한 친구였다. 월남한 후 황순원과 함께 『문학예술』을 발행하던 원응서는 1973년 11월 즐겨하던 낚시터에서 뇌일혈로 쓰러져 세상을 떠났는데, 그 이후까지 생사의 갈림길을 넘어서 계속된 두 사람 사이의 청신하고 눈물겨운 우정은 단편 「마지막 잔」(1974)에 잘 나타나 있어 여기서는 상술을 생략하기로 한다. 언젠가 작가는 또 한 분 「고향의 봄」을 지은 이원수 씨와 셋이서 친했는데 세 사람의 이름에 으뜸 원자가 차례로 들어가 있어서 예사롭지 않게 생각한다고 들려준 적이 있다.

일제 말기의 어지럽고 뒤숭숭하던 시절을 피하여 1943년 향리인 빙장리로 소개해 갔던 황순원은, 계속해서 단편소설을 쓰면서 1945년 해방을 맞았다. 해방되던 해 9월 평양으로 돌아온 황순원은 해방의 기쁨에 젖어 다시금 「그날」을 비롯한 시 몇 편과 단편 「술」을 썼으며 처음이자 마지막으로 라디오 드라마를 한 편 쓰기도 했다.

그러나 해방은 진정한 해방이 아니었다. 지주 계급 출신의 지식인 청년은 점점 신변의 위험을 느끼기 시작했고 공산 정권이 구체화되면서 월남의 길을 찾지 않을 수 없었다. 그의 온 가족은 1946년 3월과 5월의 두 달 동안 모두 월남했고 처가는 그보다 앞서 월남했으나, 불행히도 삼촌 세 분은 북쪽에 남고 말았다. 월남한 그해 9월, 황순원은 서울고등학교 국어교사로 취임했다.

월남 후에도 계속해서 시와 단편소설을 발표하던 그는, 마침내 1947년 장편 『별과 같이 살다』를 부분적으로 독립시켜 잡지에 발표하기 시작하면서 장편소설로 넘어가는 길목을 닦기 시작한다.

남한만의 단독으로 대한민국 정부가 수립되던 해 1948년 12월, 황순원은 해방 후의 단편만을 모은 단편집 『목넘이마을의 개』를 육문사에서 간행했다. 『신천지』, 『개벽』 등에 발표되었던, 당시의 피폐한 사회와 삶의 모습을 담은 단편 일곱 편을 묶은 이 창작집은 현실의 구체성과 자전적 요소들이 강하게 드러나 있다(그의 저작 가운데서는 유일하게 강형구의 「발」이 수록되어 있다). 표제작 「목넘이마을의 개」에 나오는 목넘이마을은, 작가의 외가가 있던 평안남도 대동군 재경면 천서리를 가리키는 지명이다.

1950년 동란이 발발하기 이전까지 황순원의 작품 세계는, 당초의 시적 정서가 초기 단편소설에까지 이어져서 작가 자신의 신변적 소재가 주류를 이루는 주정적 경향을 보여 준다. 이 시기의 작품들은 '비록 삶의 현장에 과감히 뛰어든 문학은 아니로되, 압제의 극한 상황 속에서 자기 자신을 가다듬으며 뒷날의 문학적 성숙을 예비한 서장' 격으로 받아들일 수 있겠다. 기실 황순원은 이 시절에 갈고 닦은 단단한 서정성과 문학적 완전주의를 끝까지 밀고 나간 작가인 것이다.

전란의 상흔과 모순에 맞선 인간애 및 인간중심주의

6·25 동란이 발발하기 넉 달 전인 1950년 2월, 황순원은 첫 장편 『별과 같이 살다』를 정음사에서 간행한다. 1947년부터 '암콤', '곰', '곰녀' 등의 제목으로 이곳저곳에 분재되었던 것에 미발표분까지 합쳐서 묶은 이 소설은, 그 중간 제목들이 말해 주듯이 일제 말기에서부터 해방 직후까지의 참담한 시대상을 통해 우리 민족의 수난사를 담으려 했다. 그의 장편소설로서는 유일하게 '곰녀'라는 한 여인을 주인공으로 설정하고 있기도 하다.

6월에 동란이 나고 황순원은 가족들과 경기도 광주로 피난했으며, 1·4 후퇴 때에는 또다시 부산으로 피난한다. 이 부산 망명 문인 시절 김동리, 손소희, 김말봉, 오영진, 허윤석 등과 교유하며 그 포화의 여진 속에서도 작품 창작을 계속해 나간다.

1951년 8월에는 전기한 바와 같이 해방 전에 써서 모아 두었던 작품을 모아 단편집 『기러기』를 명세당에서 내었다. 간행 순으로는 『목넘이마을의 개』에 이어 세 번째이지만, 집필 순으로는 본격적인 소설 창작의 길로 들어선 두 번째의 것이 된다. 주로 아이와 노인이 주인공으로 등장하며 민족 전래의 설화적 모티프와 현대소설의 정제된 기법이 악수하는 깔끔한 작품들이다.

부산에 머무르던 1952년 1월, 단편 「곡예사」가 『문예』에 발표되었다. 피난살이의 설움과 고생을 핍진하게 드러낸 작품으로, 황순원 일가의 어려운 삶과 작가의 울분 그리고 뜨거운 가족 사랑을 명료하게 드러내고 있다.

이들은 잠잘 방 때문에 곤욕을 당했으며 그는 피난 학교의 교사로 나가면서 잘 팔리지도 않는 소설을 쓰고 부인과 아이들은 가두에서 신문과 껌을 팔아야 했다. 황순원은 인생이 힘든 곡예요 인간은 능숙한 곡예사라고 생각했고 소설 속에도 자연히 인생에 대한 환멸과 쓰라림이 스며들곤 했다.

그해 6월에 그러한 작품들을 묶은 단편집 『곡예사』가 명세당에서 간행되었다. 여기에 수록된 작품은 모두 열한 편으로 전란 발발 이후에 쓰인 작품이 여덟 편이다. 가까이 지내던 김환기 화백의 장정으로 7백 부 한정판으로 찍었는데 그의 창작집 가운데 유일하게 스스로의 작품을 간략히 소개한 '책끝에'가 붙어 있으며, 내표지의 표제는 '부제父題'라 하여 부친이 쓴 것임을 밝히고 있다.

1953년 5월, 황순원은 단편 「학」을 『신천지』에, 그리고 단편 「소나기」를 『신문학』 제4집에 각각 발표한다. 단편소설로서는 원숙의 경지에 이른 기교와 선명하고 감동적인 주제, 따뜻한 인간 사랑의 정신으로 널리 알려져 있는 이 단편들은 두고두고 우리 마음 속 저 깊은 바닥의 심금을 울린 명편들이다. 시에서부터 출발하여 온갖 간난신고를 헤치면서도 갈고 다듬어 온 단편소설 창작의 기량이 그러한 차원에까지 이르게 했을 터이다.

그해 9월부터 『문예』에 새 장편 「카인의 후예」를 연재하기 시작했으나 5회까지 연재하고 이 잡지의 폐간으로 중단했으며 나머지 부분은 따로 써 두게 된다. 그 다음 해인 1954년 12월에 『카인의 후예』는 중앙문화사에서 역시 김환기의 장정으로 단행본으로 상재되었다.

이 소설은 해방 직후 북한에서 지주계급이 탄압받는 이야기가 중심축이 되어 있는데, 그런 만큼 상당 부분 황 씨 가문의 자전적 요소들이 들어 있으며 그 일가가 월남할 수밖에 없었던 배경도 잘 내비치고 있다. 이 소설의 무대는 작가의 향리, 곧 평양에서 40리 떨어진 그 빙장리이다. 1950년대 한국 문학의 대표작이 된 이 작품으로 작가는 이듬해 아세아자유문학상을 수상하게 된다.

1955년 1월부터 황순원은 장편 『인간접목』을 『새가정』에 1년간 연재하여 완결하였다. 발표 당시의 제목은 '천사' 였으나 1957년 10월 중앙문화사에서 단행본으로 출간할 때 오늘의 제목으로 바꾸었다. 이는 작가가 30대 후반에 체험한 동란의 비극을 소설로 옮긴 것이며, 이 민족적인 아픔을 본격적인 장편문학으로 수용한 한국문학의 첫 6 · 25 장편소설로 일컬어진다.

1956년 12월에는 단편집 『학』이 중앙문화사에서 나왔다. 우리의 눈에 익숙한 김환기의 학이 춤추는 그림으로 표지를 장식하고 있는 이 창작집에는, 『곡예사』 이후 1953년에서 1955년 사이에 쓰인 작품 열네 편이 실려 있다. 작품의 소재와 시대적 배경이 그러한 만큼, 전란과 전후의 상황을 예민하게 반영하고 있는 작품이 대다수이다.

마흔세 살이 되던 1957년 2월에 장남 동규가 서울고등학교를 졸업하고 서울대 영문과에 입학했으며, 작가 자신은 4월 경희대 문리대 조교수로 직장을 옮기는 한편 예술원 회원에 피선된다. 모처럼 화창한 봄날 같은 일들이 많았다.

황순원에게 있어 경희대로의 전직은 그 의미가 가볍지 않다. 이때부터 정년퇴임을 하는 날까지 23년 6개월 동안, 단 한 가지의 보직도 갖지 않은 채 그야말로 평교수로서 초연히 살아오면서, 3분의 2에 해당하는 단편과 다섯 편의 장편을 집필하게 된다. 뿐만 아니라 김광섭, 주요섭, 김진수, 조병화 등 쟁쟁한 문인 교수들과 더불어 활기찬 창작열을 북돋워 많은 문인 제자들을 생산한 시기이기도 했다. 필자 자신도 1970년대를 가로지르며 작가의 말없는 정신적 훈육 아래에 있었다.

1958년 3월에 여섯 번째 창작집 『잃어버린 사람들』이 중앙문화사에서 간행되었는데, 여기에는 1956년 이후에 쓴 다섯 편의 단편과 중편 「내일」이 수록되어 있었다. 1981년 문학과지성사에서 전집이 나올 때 작가는 「잃어버린 사람들」과 「학」을 제3권으로 한데 묶고 「내일」을 따로 뽑아 「너와 나만의 시간」과 함께 제4권으로 묶었다.

1960년 1월부터 또 하나의 중요한 장편 『나무들 비탈에 서다』를 『사상계』에 연재하기 시작하여 7월호에 완결하게 되는데, 이는 9월에 같은 출판사에 단행본으로 상재되었다. 피카소의 그림을 표지화로, 김기승의 글씨를 제자로 한 이 단행본에서는, 발표 당시 허무주의자 주인공 현태를 자포자기의 자살로 버려두었던 것을 일부 수정하여, 일말의 정신적 구원 가능성을 암시하는 것으로 바꾸어 놓는다.

이 작품은 작가에게 이듬해 예술원상 수상을 가져다주었으나, 이 작품을 평한 백철과 더불어 작가의 의식과 시대상의 반영에 관한 두 차례의 유명한 논쟁을 촉발하게 한다. '작가는 작품으로 말한다'는 신념 아래 일체의 잡글을 쓰지 않으며 심지어 신문 연재소설도 끝까지 마다한 작가의 문학적 엄숙주의에 비추어 보면, 한국일보에 발표되었던 두 편의 논쟁문은 매우 특이한 사례에 속한다. 오늘날에 와서 우리가 이 논쟁을 다시 돌이켜 볼 때, 다른 모든 소설적 가치들을 제외하고라도 작품의 총체적 완결성에 관한 한, 자기 세계를 치밀하고 일관되게 제작해 온 작가의 반론을 무력화시킬 수 있는 어떠한 논리도 작성되기 어려웠으리라 짐작된다. 미상불 「비평에 앞서 이해를」(한국일보, 1960년 12월 15일)과 「한 비평가의 정신자세─백철 씨의 소설 작법을 도로 반환함」(한국일보, 1960년 12월 21일)이라는 제목만 일별해도 그의 오연한 결의가 느껴지는 바 없지 않다.

1962년에 이르러 황순원은 그의 장편소설 시대의 만개를 예고하는 『일월』을 『현대문학』 1월호에서부터 연재하기 시작한다. 그리하여 5월호까지 제1부가 발표되고 제2부는 그해 10월호부터 이듬해 4월호까지, 제3부는 1년여의 시간적 거리를 두었다가 1964년 8월호부터 11월호까지 연재되었다.

이처럼 만 3년에 걸쳐 끝난 『일월』은 1964년 창우사에서 간행된 황순원전집 전 6권 중 제6권으로 편입되어 나왔다. 생존 작가로는 최초의 개인 전집이었던 이 전집의 제자는 부친이 써 주었다.

백정 일을 하는 가장 천민층이었던 사람들의 소회, 갈등, 고통을 소설적 형상력으로 표출하면서 인간 구원의 길을 예시한 이 작품으로 작가는 1966년 3·1문화상을 수상하게 된다.

그는 이 소설을 쓰기 위하여 진주의 형평사운동을 비롯, 광범위하게 자료 조사를 한 것으로 알려져 있으며 언젠가 필자를 포함한 제자들이 있는 자리에서 "작가는 조사한 자료 모두를 소설로 쓰지 않고 오히려 더 많은 분량을 그대로 묵혀 두는 경우가 많다"는 자못 의미심장한 말을 들려준 적도 있다. 『일월』은 그 제목의 설정에도 하나의 모범이 되어, 인간의 의지와는 관계없이 경과하는 세월을 뜻하는가 하면, 해와 달이 영원히 함께할 수 없음을 통해 어떤 근원적 괴리감을 표상하는 것으로도 보인다. 작가는 이 제목의 설정 사유에 대한 질문에는 저 이름 있는 이백의 「답산중인」에서처럼 웃고 대답하지 않았다.

필자가 석사학위 논문으로 「황순원 소설의 작중인물 연구」를 쓰고 심사를 받을 때, 마침 작가는 그 심사위원장이었다. 심사가 끝난 후 필자는 논문 외적인 문제로 하나의 질문을 드렸었다. 인철의 가문과 같이 백정의 후대이지만 완전히 신분상승을 이룩한 경우에도 그 전대의 굴레가 그렇게 치명적이겠느냐는 것이었다.

필자로서는 조심스럽고 어려웠던 질문에 비해 작가는 매우 쉬운 말로 대답했다. 작가로서 독자의 질문에는 대답하지 않는 것을 원칙으로 하고 있으되, '김 군'의 질문에 특별히 답한다고 전제한 연후에, 신분상승이 이루어졌으므로 오히려 전대의 신분이 문제될 수 있는 것이라는 말씀이었다. 필자는 그 간단한 답변에 쉽게 승복할 수 있었다.

1964년 5월, 단편집 『너와 나만의 시간』이 정음사에서 간행되었다. 일곱 번째 작품집인 이 단행본에는 40대 중반에 쓰인 작품 열 네 편이 수록되었다. 이 작품들에는 작가의 개인적인 모습이 번번이 드러나고 있어 작가 연구에 소중한 자료가 되기도 한다. 이 책은 정음사가 모두 열 권으로 기획한 한국단편문학선집 중 제5권으로 나왔다.

실존적 삶의 고통과 존재론적 인식의 확장

『일월』의 탈고에 이르기까지 황순원의 문학은, 초기의 시적 서정성과 단편소설의 수련을 거쳐 인간의 삶을 깊이 있게 조명하며 숙명적이고 선험적인 상황에 대응하는 자아의 의지를 추구하였다.

『일월』이 간행된 다음 해, 즉 1965년 이후부터 황순원의 문학은 또 다시 새로운 변화 곡선을 그려 나간다. 그해 4월의 「소리그림자」를 필두로 나중에 단편집 『탈』로 묶게 되는, 세상을 복합적이며 함축적이고 원숙한 시각으로 바라보는 단편들의 지속적인 제작이 그 하나이다. 그리고 1968년부터 발표하기 시작한, 한국인의 근원 심성을 소설 미학으로 구명한 『움직이는 성』의 집필이 다른 하나이다. 그는 이러한 창작 경향을 통하여 삶의 실존적 고통 및 존재론적 자아의 위상에 관한 탐색을 활발히 전개해 나간다. 물론 이와 같은 형이상학적 문제에 대한 인식의 확장과 깊이 있는 천착은, 우리 문학에서는 그 선례를 찾기 어려운 것이었다.

또한 이 시기를 전후하여 그의 작품들이 인문계 및 실업계 중고교 교과서에 수록되고 여기저기 한국문학 전집이나 선집에 수록되며, 영어, 불어, 독일어 등으로 번역되어 해외에 소개되는가 하면 여러 작품이 영화로 만들어지기도 한다. 작가 자신도 문예지의 추천위원이나 여러 종류의 시상에 심사위원으로 확고한 문단 원로의 지위를 점하고 있어 가히 황순원 문학의 전성기라 할 수 있겠는데 이를 자세히 서술하기에는 그 수가 너무 많아 여기서는 약할 수밖에 없다.

1969년에는 외동딸 선혜가 결혼하여 미국으로 이민을 떠났고 1972년에 조선일보에 입사한 막내아들 진규도 나중에 누이와 같은 길을 따라가게 된다.

1970년에는 토속성 있는 작품을 주로 써 온 작가로서는 매우 의욕적으로, 6월 국제펜클럽 제37차 서울대회에서 한국 대표로 '한국 문학에 있어서의 해학의 특성'이란 제목으로 주제발표를 하게 된다. 그동안의 작품 창작으로 한국문학 발전에 기여한 공로와 이때의 공로를 통하여 그해 8월 15일 광복절에 국민훈장 동백장을 받았다.

전란의 상흔을 직접 몸으로 겪은 이 작가에게, 한반도의 남북관계와 더불어 상기해 두어야 할 몇 가지 사회사적 사건들이 있다. 1972년에서부터 몇 해 동안은 그의 삶에 있어 문학 외적인 몇 가지 큰 사건들이 연이어 일어났다. 실향민 일가로서 꿈에도 그리던 고향으로 돌아가 보지 못한 채, 마침 남북 간에 7·4공동성명이 발표되고 남북적십자 본회담과 남북조절위원장 회의가 열리던 1972년 12월 부친상을 당한다. 또한 삼중당에서 전 7권으로 황순원문학전집이 발간되기 한 달 전인 1973년 11월, 누구보다도 그의 인간과 문학을 이해해 주고 동고동락하며 지내던 오랜 지기지우 원응서를 잃는다. 이듬해 1974년 1월에는 모친이 세상을 떠났다. 그리고 그 다음 해인 1975년 3월이 자신의 회갑이있으나, 온갖 세월의 풍상을 한꺼번에 당하고 견뎌 낸 그는 다른 모든 행사를 사양하고 예년과 같이 지냈다.

이와 같은 여러 유형의 시련, 요컨대 진행 중에 중단되거나 의미가 무화되는 일이 없어 세상사의 굽이굽이를 모두 감당한 삶의 체험들이, 그의 문학을 더욱 웅숭깊고 유장하게 가꾸는 추동력이 되었다고 볼 수 있겠다.

황순원의 여섯 번째 장편『움직이는 성』은『일월』이후 4년간의 구상 끝에 이루어진, 황순원 문학의 천정을 치는 작품이다. 제1부가『현대문학』1968년 5월호에서 10월호까지, 제2부가 같은 잡지에 2년 후인 1970년 5월호에서 다음 해 6월호까지, 제3부 및 제4부는 역시 같은 잡지에 다음 해인 1972년 4월호에서 6월호까지 연재되었다. 집필에 5년이 걸린 이 작품의 초판은 1973년 5월 삼중당에서 간행되었고 그해 12월 그의 세 번째 전집인 삼중당판 황순원문학전집에 그대로 수록되었다.

『일월』에서『움직이는 성』으로 넘어가면서 황순원의 소설 작법은 전반적으로 확산되는 경향을 보인다. 이 확산은 작품의 중심 과제를 종합적으로 투시하려는 시선에서 기인하는 것이며, 그 대상 역시 개인적인 문제에서 사회적인 문제로 확대되고 있다.

『일월』보다 앞서 발표된 작품들과『움직이는 성』이후『신들의 주사위』에까지 연장해 고찰해 보면, 이러한 확대 변화의 경향은 더욱 확실해진다. 황순원은『움직이는 성』을 거치면서 집합적 소설 구조로부터 해체적 소설 구조로의 변화를 시도하고 있으며, 그 변화는 인물, 구성, 주제의 모든 측면에서 함께 이루어진다.

『움직이는 성』의 결말은, 건실한 내일의 삶으로 가는 통과제의적 전환의 예시와 함께 '창조주의 눈'이란 알레고리를 사용함으로써 작품의 주제를 심화시키는 상징적인 장면으로 되어 있다. 이러한 소설적 종말 처리법은 그의 장, 단편을 막론하고 거의 공통적으로 나타난다. 이러한 사실들은 결국 황순원이 끝까지 낭만적 휴머니스트임을 반증한다. 그는 상황의 냉혹함 속에서도 인간의 아름다움과 순수함을 되찾아 가야 한다는 의지를 갖고 있는 듯하다. 외부로부터 가해지는 비인간적인 힘으로부터 인간의 고귀함과 존엄성을 지키는 일이 결코 쉽지 않을 것이라는 인식조차도 그러한 의지의 변경을 가져오지 못함을, 그의 소설들이 결말을 통해

지시하고 있다고 보인다.

『움직이는 성』의 세 주인공 준태, 성호, 민구는 『나무들 비탈에 서다』의 현태, 동호, 윤구와 포괄적인 의미에서 동류항으로 묶을 수 있다. 준태가 우리 민족의 심리적 기조에 근거한 허무주의자라면, 현태는 가혹한 현실 상황에 반발하는 허무주의자이다. 성호가 진실된 기독교적 사랑의 실천을 추구하는 이상주의자라면, 동호는 인간의 순수성과 존엄성을 지향하는 이상주의자이다. 민구가 인간 본성으로서의 이기심을 따라가는 현실주의자일 때, 윤구는 혼란의 와중에서 물욕을 키워 가는 현실주의자이다. 이들의 이름 끝 자가 서로 일치되고 있음은, 작가의 작명법 취향에 대한 암시일 수도 있을 것이다. 현대적 교양과 세련미를 가진 여성으로서 『일월』의 나미와 『신들의 주사위』의 세미도 이와 유사한 경우이다.

1976년 3월 문학과지성사에서 간행된 단편집 『탈』은 50대 이후 작가의 내면세계를 보여 주는 중요한 작품집이다. 모두 21편의 단편이 수록된 이 책은 김승옥의 장정과 연이어 문학과지성사 판 전집의 제자를 쓰게 되는 서희환의 제자題字로 만들어졌다. 작가는 나중에 그의 제자를 12폭 병풍으로 만들어 서재에 두고 있었다. 필자가 보기에 병풍은 어떤 명장의 예술품보다 더 귀해 보였다. 문지 전집에서는 이 '탈' 과 '기타' 라는 제목으로 「그물을 거둔 자리」(1977) 및 「그림자풀이」(1984)라는 두 편의 단편을 합하여 한 권(제5권)으로 묶었다.

이 지점에까지 이른 황순원의 세계는, 한 단면으로부터 전체를 제시하는 제유법적 기교로부터 전면적인 작품의 의미망을 통하여 삶의 진실을 부각시키는 총체적 안목에 도달하는 과정이라 할 수 있겠다. 작은 시냇물의 물줄기에서 풍부한 수량으로 만조를 이룬 것 같은 이와 같은 독특한 경향이 한 사람의 작가에게서 순차적으로 진행되고 있음은 보기 드문 경우이며, 그 시간상의 전말이 한국 현대문학사와 함께했음을 감안할 때 우리는 황순원의 소설 미학을 통해 우리 문학이 마련하고 있는 하나의 독보적 성과를 확인할 수 있는 것이다.

『탈』은 1965년에서 1975년까지 11년간에 걸쳐 쓰인 작품 모음이며 그 가운데서 직접적으로 노년이나 죽음의 문제를 다루고 있는 작품이 열다섯 편, 소재로서 이러한 요소가 내포된 작품이 다섯 편, 단지 한 편(「이날의 지각」)만이 이 문제와 거리가 있다. 이와 같은 빈도는 이순의 세계 전망을 드러내기까지 10년여를 지탱해 온 작가의 관심과 인식이, 얼마만한 넓이와 깊이로 삶의 근원적이고 본질적인 뿌리를 투시하고 있는가를 예시하는 언표일 것이다.

내포적 자유에의 추구와 완결의 미학

어느 누구라도 시인이라기보다 소설가라고 알고 있는 가운데 그동안 간헐적으로 시를 쓰고 또 발표해 온 황순원은, 1977년 3월 『한국문학』에 시 「돌」, 「늙는다는 것」, 「고열로 앓으며」, 「겨울 풍경」 등을 발표하면서 다시금 시의 창작에 경도되는 성향을 보인다. 이에 대해서는 여러 가지 설명이 부가될 수 있겠으나 그중 간과할 수 없는 하나는, 시 - 단편 - 장편의 발전 단계를 거쳐 온 황순원이 암시적이고 함축적인 시편들, 그 언어의 절약과 여백의 활용을 통해서 자신의 삶과 문학을 정리하고 완결한다는 의미일 터이다.

그 초입에 해당하는 1977년에 재미있는 사건 하나가 있었다. 작가 홍성원과 함께 서울신문 신춘문예 심사를 하게 되었는데, 마지막으로 두 작품이 남아 홍 씨가 그에게 결정을 구했더니 그는 외려 홍 씨더러 골라 보라고 했다는 것이다. 그래서 군대물과 뱃사람 얘기 중 기법상으로 더 우수해 보이는 후자를 추천했더니 동석했던 문화부장과 함께 이를 당선작으로 결정했다고 한다. 그런 연후에야 황순원은 군대물을 쓴 이가 제자였음을 밝혔고 홍 씨는 그를 새삼 다시 인식했다는 것이다.

그때 결심에 올랐던 두 사람은 그 뒤로 계속 좋은 작품을 썼고 문단에 넓게 이름을 드러내었는데, 뱃사람 얘기가 곧 당선작이었던 손영목의 「이항선」이었고 군대물을 쓴 이가 후에 『빙벽』을 쓰게 되는 고원정이었다.

1978년 2월, 황순원은 계간 『문학과지성』 봄호에 마지막 장편 『신들의 주사위』를 연재하기 시작한다.

1980년에는 23년 6개월 동안 재직하던 경희대 교수를 정년퇴임하고 명예교수로 취임했다. 이 무렵 필자는 대학에서 대학원으로 진학하면서 몇 친구들과 함께 특히 작가를 가까이 모시고 있었으며, 그해 12월 문지 전집이 제1권과 제9권부터 낱권으로 발간되기 시작했을 때 경상도 지방 방언의 교정에 대한 구술 실증으로 곁에서 미력을 다하기도 했다. 「곡예사」에 나오는 아들들의 이름이 발표 당시와 다르게 개명되었으므로 그것을 맞추어 고치던 일이라든지, '제과점'이 나으냐 '베이커리'가 나으냐고 검토하던 일들을 지켜보던 기억이 지금도 생생하게 남아 있다.

그즈음 그의 주량은 두 홉들이 소주 한 병 반 정도였다. 술을 건강의 바로미터라고 생각하는 경향이 있었고, '주신은 밤에 발동한다'는 철학으로 오후 다섯 시 이전에는 술을 시작하지 않았지만, 가끔 예외가 있었다. 야외에 나갔을 때나 즐기는 보신탕을 할 때가 그러했다. 아마도 그와 그 제자들이 소화한 구육狗肉을 합산한다면 만만찮은 더미가 될 터이다.

『신들의 주사위』는 문지 전집 제10권으로 1982년에 간행되었다. 『움직이는 성』이 탈고된 이후 6년 동안의 구상 끝에 집필되어 전기한 바와 같이 『문학과 지성』 1978년 봄에 그 첫 회가 발표되었다.

그러나 1980년 7월 신군부의 파워 시위로 인한 이 잡지의 정간으로 제3부 제2장에서 발표가 중단되었으나 작가는 집필을 계속했으며 『문학사상』 1981년 8월호부터 기왕의 발표분을 3회에 걸쳐 집중 분재한 다음 연재를 계속했다. 최종회가 발표된 것은 1982년 5월호였으며 이 대작은 4년

만에 완성되었다.

「움직이는 성」 이후 10년 만에 선보인 작가의 일곱 번째 장편소설인 이 작품은, 한국 농촌의 한 소읍과 한 중산층 가정을 중심으로 새로운 문물과 가치관의 유입을 보여 주는 동시에 현대 사회의 교육, 공해, 통치 문제 등을 복합적인 시각으로 조명하였다.

이 소설의 서두는 '관계없다아, 관계없다아!' 라는 고함소리, 두식 영감의 맏손자 한영이 자기집 대문 밖에서 지르는 소리로 시작되는데, 작가는 사석에서 재종형 중에 실제로 그런 소리를 지른 이가 있었으며 두식 영감도 맨 큰할아버지가 그 모델이라고 들려준 바 있다.

이 소설은 『움직이는 성』에서부터 확립된 해체의 구조와 조직성을 그보다 더욱 유연하게 운용하고 있다. 작가는 이 소설로 이듬해인 1983년 12월, 대한민국 문학상 본상을 수상했다.

1983년 3월 막내 진규 가족이 미국으로 이민을 가고 난 후, 그 이듬해인 1984년 6월 22일부터 두 달 동안 부부 동반으로 미국의 딸네 부부와 함께 미국 중서부 지방과 유럽의 영국, 프랑스, 스위스, 이탈리아, 오스트리아, 독일, 벨기에 등지를 여행했다. 그 여행의 개인적인 감회야 우리가 다 짐작할 수 없는 일이로되, 그러한 연후의 시 「기운다는 것」과 짧은 감상록 「말과 삶과 자유」를 통해 일단을 짐작해 볼 수는 있다.

그대여
그대의 시각에
나는 얼마나 기울어져 있는가
아무리 위태롭게 기울었다 해도
버텨 줄 생각일랑 제발 말아다오
쓰러질 것은 쓰러져야 하는 것
그저 보아다오

언제고 내 몸짓으로 쓰러지는 걸

— 「기운다는 것」

    로마에서 피사의 사탑을 바라보며, 이러한 결기를 다진 시인의 심사는, 1975년 용문사의 은행나무에서 그 잎의 무수한 흩어짐을 통해 장엄한 결미를 표상한 바 있는 단편 「나무와 돌, 그리고」의 의식 세계와 곧바로 소통된다. 범상한 경험 가운데 장엄한 것이 숨어 있고 어떤 경우에라도 사람의 몸짓은 격에 맞는 것이어야 하며 남은 날들을 그 의지와 신념대로 살아갈 것을 다짐하는 마음의 움직임이 시의 행간에 배어 있는 것이다.

    1985년부터 1988년까지 모두 여섯 차례에 걸쳐 발표된 단상 「말과 삶과 자유」는 수필 형식의 짧은 글들로서 지금껏 우리 문학에서 유례를 찾기 힘든 새로운 형식이었다. 거기에는 세계와 인간관계와 자연의 섭리와 신의 존재를 바라보는 심오한 생각의 깊이가 개재되어 있어서, 그가 그 이후에도 8편의 시를 쓴 바 있지만 필자는 이를 그의 문학에 대한 완결성의 징표로 간주하고, 이 글의 부제에 그의 문학이 이른 끝막음으로 잡았던 것이다.

    1985년에는 실향민인 그가 대범하게 넘길 수 없는 역사적 사건이 하나 있었다. 9월 20일부터 나흘간에 걸친 남북 이산가족 고향방문 및 예술공연단 151명의 서울, 평양 교환 방문이 그것이었다. 그중 이산가족 50명의 기초 선정 작업에 참여했던 필자는 직능 분야별 안배 기준에 따라 작가가 수락한다면 고향 방문을 가능하게 할 수 있으리라는 확신으로 의사를 타진해 보았다. 그랬더니 아마도 가족회의를 거쳐, 북한에 근친의 가족이 없을 뿐 아니라 보다 절박한 사람이 한 사람이라도 더 갈 수 있도록 사양한다는 간곡한 회보가 있었다. 생각해 보면 그것이 그가 평양을 방문할 수 있었던 마지막 기회였던 것 같다.

    1992년 일흔여덟 살 나던 해 9월에 그는 한 치의 흐트러짐도 없는 시상으로 「산책길에서 1」, 「죽음에 대하여」 등 8편의 시를 『현대문학』에 발표했다. 이것이 지금까지 그가 발표한 문학의 결미이며, 이로써 그는 시 104편, 단편 104편, 중편 1편, 장편 7편의 거대한 문학적 노적가리를 이루게 된 것이다.

그의 자연적 연령이 만 85세에 이른 2000년 9월 14일, 일생의 동반자인 부인과 함께 깊은 기독교 신앙에 진입하면서 정정하게 지내던 그는, 잠자리에 누운 모습으로 정갈하게 영면했다. 평소 '어떻게 죽을 것이냐 하는 문제는 곧 어떻게 살 것이냐 하는 문제이다' 라고 술회하던, 이 작가다운 인생의 마감이었다.

혹자는 역사적 사실주의의 시각에 근거하여 황순원의 전반적 문학이 서정성과 순수문학 속으로 초월해 버렸다고 비판하기도 한다. 그러나 그렇게만 말한다면 이는 단견의 소치이다.

황순원의 문학과 시대 현실과의 관계는 흥미로운 굴곡을 이루고 있다. 초기 단편에서는 작가 자신의 신변적 소재가 주류를 이루면서, 토속적 정서와 결부된 강렬하고 단출한 이미지가 부각되고 있다. 「목넘이마을의 개」를 전후한 단편에서부터 『나무들 비탈에 서다』까지의 장편에서는, 수난과 격변의 근대사가 작품의 배경으로 유입되어 현실의 구체적인 무게가 가장 크다. 장편 『일월』과 『움직이는 성』, 단편집 『탈』에서는 인간의 운명에 관한 철학적, 종교적 문제가 천착되면서 시대 현실은 배제되고 있다. 그러나 『신들의 주사위』에 이르면 인간 존재에 대한 철학적 탐구는 그대로 지속되되, 한 지역사회가 변모해 가는 내면적 모습이 함께 그려진다. 이처럼 황순원의 소설들을 발표순에 따라 배열해 보면, 작품의 주제와 시대 현실 사이의 직접적인 상관성이 대체로 '무-유-무-유'의 순서로 나타난다.

이와 같은 굴곡은 이 작가가 시대 현실에 대한 인식을 위주로 소설을 써 온 것은 아니지만, 작품의 구조에 걸맞도록 시대 현실을 유입시키고 있음을 뜻한다고 할 수 있다. 처음의 세 단계는 신변적 소재-사회적 소재-철학적 소재로 작품 성향이 변화하는 양상을 말해 주는 것이며, 마지막 단계에서는 시대 현실을 다루는 작가의 복합적 관점을 느끼게 하는 것으로 삶의 현장에 대한 관조적인 시야가 없이는 어려울 것으로 보인다. 그렇기에 작품 활동의 후반기를 오면서 그의 세계는 인간의 운명과 존재에 대한 깊은 성찰에 도달하고 있다는 사실에 유의할 필요가 있겠다.

황순원의 문학은 인간의 정신적 아름다움과 순수성, 인간의 고귀함과 존엄성을 존중하는 바탕 위에서 출발했고 이를 흔들림 없이 끝까지 지켰다. 그가 일제하에서 침묵을 지키면서도 읽혀지지도 출간되지도 않는 작품을 은밀하게 쓰면서 모국어를 지킨 일도 이러한 상황과 무관하지 않을 것이다. (그는 언젠가 춘원 이광수에게 작품을 보냈더니 큰 격려의 말과 함께 앞으로 국어, 즉 일본어로 글을 쓰라고 하면서 말미에 향산광랑香山光郎이라 적었더라고 들려준 적이 있다.) .

대부분 그의 작품이 배경으로 되어 있는 상황의 가열함 속에서도 진실된 인간성의 회복을 위한 암중모색을 잊지 않고 있는 것은 그 때문이며, 문학사에서 그를 낭만적 휴머니스트로 기록하고 있는 것도 그 때문일 것이다.

황순원의 1930년대 전반, 동란 이후 작품 발굴

— 동요·소년시·시 65편, 단편 1편, 수필 3편, 서평·설문 각 1편 등 총 71편

작품 발굴의 경과

2010년 9월 14일은, '20세기 격동기의 한국문학에 순수와 절제의 극極을 이룬 작가'로 평가 받는 황순원 선생의 10주기였다. 경기도 양평에 있는 황순원문학촌에서는 10주기 추도식과 제7회 황순원문학제 등의 행사가 열려 작가를 기렸다. 이처럼 뜻 깊은 시기에 작가의 습작기와 작품세계의 발아를 엿볼 수 있는 작품 몇 편을 발굴하여 1차로 공개한 바 있다.

그 이후 다시 작품 발굴을 추진하여 2011년 8월까지 1차분을 포함하여 모두 71편의 발굴을 완료하고 그 목록을 작성할 수 있었다. 발굴 작품명과 발표 시기 및 게재지 목록은 따로 첨부한다. 다만 이 가운데 시 10편은 제목과 글의 모양은 알 수 있으나 글자의 판독이 불가하여 목록에서 따로 구분해 두었다.

이 작품들은 양평 황순원문학촌의 문학관 내에 마련되고 있는, '황순

원문학연구센터'의 자료를 수집하는 과정에서 발견되었다. 작품 발굴을 위해서, 센터의 실무 책임을 맡고 있는 김주성 작가와 문헌자료 수집가 문승묵 선생, 그리고 '한국아동문학연구센터'의 부센터장으로 있는 김용희 아동문학평론가의 도움을 받았다. 이 자리를 빌어 깊이 감사드린다.

그리고 작품의 문면은 당대의 표기법을 살려 원문 그대로 자료화 했으며, 다만 띄어쓰기에 있어서는 읽는 이들의 이해를 돕기 위해 오늘날의 글쓰기 방식을 따랐음을 밝혀둔다. 여기에서는 그 발굴 작품을 책의 말미에 실어 공개한다.

특히 소년소설 「卒業日」이라는 작품은 『어린이』 10권 4호 (1932. 4.)에 발표된 것으로 출전이 확인되었으나 게재 잡지의 유실로 원본을 확인할 수 없었고, 그로부터 3개월 후 같은 잡지의 10권 7호(1932. 7.)에 盧良根이 쓴 「半年間 少年小說 總評」에 작품평이 실려 있어 이를 자료로 확보하였다.

발굴된 작품의 문학적 좌표

황순원(1915~2000)의 등단 작품은 1931년 7월 『東光』에 발표한 시 「나의 꿈」으로 알려져 있고, 작가 또한 그렇게 기록을 남겼다. 그런데 그동안 그 이전의 작품들에 대한 발견이 이루어지고, 『문학사상』 2010년 7월호에 권영민 교수가 전집에 수록되지 않았던 동요 8편, 시 1편, 소년소설 1편, 단막 희곡 1편을 발굴하여 발표했다.

이 작품들 중 동요 · 시 · 소년소설은 1931년에서 1935년까지 《동아일보》에, 단막 희곡은 1932년 《조선일보》에 발표되었다. 그런데 발굴로 발표되었던 시 「칠월의 추억」은 원래 《동아일보》 1935년 8월 21일자에 실렸으나, 이 시는 문학과지성사 판 황순원전집 제11권 『시선집』 중 「공간」에 실려 있다.

『문학사상』의 자료에 의하면 「나의 꿈」이 발표된 1931년 7월 이전의 작품은 1931년 3월 26일자의 동요 「봄싹」과 같은 해 4월 7~9일자의 소년소설 「추억」이다. 따라서 등단작을 수정해야 한다는 일부의 주장도 없지 않으나, 이러한 발표의 순서는 그다지 큰 의미가 없으며 작가 스스로 「나의 꿈」을 내세울 만큼 거기에 문학적 의미를 둔 것이 사실이고 보면 굳이 이를 재론할 필요는 없어 보인다. 더욱이 이번 발굴 작품들의 발표시기로 보면 「봄싹」보다 1주일 먼저 1931년 3월 19일자 《매일신보》에 발표된 「누나생각」이란 동요가 확인되었다.

또 그동안 작가의 타계 이후 종합적인 통계로 제시된 시 104편, 단편 104편, 중편 1편, 장편 7편 등 전체적인 작품세계의 규모 계량도 마찬가지로 받아들여도 무방할 것 같다. 작가가 직접 교정·편찬한 자신의 전집에서 제외한 작품이며, 성격상 습작기의 초기작에 해당하는 것을 이제 와서 작가의 전체 작품 목록에 추가로 편입시키는 일은 별반 뜻이 없어 보이기 때문이다.

뿐만 아니라 다음과 같이 선생께서 자신이 버린 작품에 대한 처리에 있어 후세를 경계한 글을 대하고 보면, 그분과 지근거리에 있었던 후학 또는 제자로서는 이와 같은 작업에 대해 한층 더 각성과 경계를 게을리 할 수 없는 형국이다.

나는 판을 달리할 적마다 작품을 손봐 오는 편이지만, 해방 전 신문 잡지에 발표된 많은 시의 거의 다를 이번 전집에서도 빼버렸고, 이미 출간된 시집 『放歌』에서도 27편 중 12편이나 빼버렸다. 무엇보다도 쓴 사람 자신의 마음에 너무 들지 않는 것들을 다른 사람에게 읽힌다는 건 용납될 수 없다는 생각에서다. 빼버리는 데 조그만치도 미련은 없었다. 이렇게 내가 버린 작품들을 이후에 어느 호사가가 있어 발굴이라는 명목으로든 뭐로든 끄집어내지 말기를 바란다.

그런데 이토록 '엄중한 경고'가 있었음에도 불구하고 그 슬하에서 문학과 세상살이의 이치를 익힌 필자가 여기 선생의 옛 작품 71편을 발굴이라는 명목으로 공개하는 이유는, 작가로서 선생의 명성과 작품의 문학사적 의의가 이미 중인환시리衆人環視裏에 구체적 세부를 검토해야 하는 공공의 차원에까지 진입했기 때문이다. 시대의 구분을 넘어 주목을 받는 공인에게 있어서는 때로 그 당자의 요청조차도 유보되어야 하는 범례가 이러한 경우일 터이다.

비록 초기의 습작일망정 이 작품들에는 장차 서정성 · 사실성과 낭만주의 · 현실주의를 모두 포괄하는 작가의 문학세계가 어떻게 발아하였는가를 살펴볼 수 있는 요소들이 잠복해 있고, 동시에 당대의 아동문학과 생활기록문의 특성을 짐작하게 하는 단초들이 병렬되어 있기도 하다. 그런 점에서 이 작품들을 주의 깊은 눈으로 다시 관찰해 볼 필요가 있다고 본다.

이번의 작품 발굴 과정에서 발표 당시 작품의 제목을 전집에 수록하면서 작가가 교체한 사례들을 발견할 수 있었다. 「소나기」(『신문학』, 제4집, 1953. 5.)가 다른 지면(『협동』, 1953. 11.)에 발표 되었을 때 그 제목이 「소녀」였음이 밝혀진 바 있었지만, 『새벽』 1956년 신년호에 발표한 시 「산허리에 오솔길」은 「나무」로 바뀌었고 『예술원보』 1960년 12월호에 발표한 「꽁트 2제(모델, 동정)」는 「손톱에 쓰다」로 바뀌었다. 또 『주간 문학예술』 1952년 9월 6일자로 발표된 단편소설 「산골」은 「두메」로 바뀌었다.

그런가 하면 《중앙일보》 1931년 12월 24일자에 발표한 「묵상」은 전면 개작하여 전집에 수록했다. 전집 발간 과정에서 끊임없이 퇴고하고 내용을 수정해 온 작가의 성실성을 미루어 짐작할 수 있다. 아마도 작가는 교체된 제목이 작품의 전반적인 흐름이나 당대의 시의성에도 적합하다고 판단했을 것이다.

지금까지 알려져 있는 황순원 선생의 호는 만강晚岡인데, 기실 본인은 이 호를 사용하지 않고 책을 서증書贈 할 경우 '순원' 이란 이름을 썼다. 이미 주어진 이름 석자도 감당하기 어려운데, 무슨 호를 더 쓰겠냐는 뜻에서였다. 그러나 선생의 연령이 10대 후반이었던 1930년대 초반에는 그 자신이 광파狂波 라는 필명을 썼던 기록을 찾을 수 있었다.

선생은 1931년 4월 10일자《매일신보》에 「문들레꼿」을 게재하면서 황순원이란 이름을 썼고, 1931년 6월 20일자《매일신보》에 「우리형님」을 게재하면서 황광파라는 이름을 썼으며, 1932년 4월 17일자《중앙일보》에 「할미꼿」과 「문들레꼿」 등 두 편을 게재하면서 광파라는 이름을 썼다.

무슨 이유에서인지 선생은 1931년《매일신보》에 황순원이란 이름으로 게재했던 「문들레꼿」을, 1932년《중앙일보》에 「할미꼿」과 함께 광파라는 이름으로 다시 게재한 것이다. 작품의 내용, 연가름 등 모두 황순원이 곧 광파라는 사실을 확인해주는 지점이다. 시간차를 염두에 두고 볼 때, 선생은 처음에 성을 붙여서 황광파라고 했다가 해를 넘기면서 광파라고 쓴 듯하다.

발굴 작품 창작의 전기적 배경

황순원 선생은 일제강점기의 압박이 시퍼렇게 날이 서 있던 1915년 3월 26일 북녘 땅 문물의 중심지인 평양 부근, 정확하게 말하자면 평안남도 대동군 재경면 빙장리에서 출생했다. 일곱 살이 되던 1921년에 황 씨집안은 평양으로 이사하고 이태 후 황순원은 숭덕소학교에 입학했다. 열다섯 살 나던 1929년 정주의 오산중학교에 입학했으며, 건강 때문에 다시 평양의 숭실중학교로 전학하기까지 한 학기를 정주에서 보냈다.

숭실중학교 전입학은 같은 해 9월이었다. 부친과 삼촌 세 분이 모두 숭실 출신이었고, 바로 밑의 아우 순만은 후에 평양제2고보를 졸업했다. 같은 해 11월, 저 남쪽에서는 광주학생사건이 일어났고 동시대 젊은 지식인들의 가슴에 맺힌 식민지 백성의 울혈이 점점 깊어가던 때였다.

숭실중학교 재학 중이던 1930년, 이팔청춘 열여섯의 나이에 황순원은 시를 쓰기 시작한다. 그는 시인에서 출발하여 단편소설 작가로 자기를 확립했고 이어서 장편소설 작가로 발전해 간 사람이다. 그리고 노년에는 다시 상징성이 강한 단편, 함축적 의미를 담은 시, 살아온 인생 전체를 조망하는 에세이들을 쓰는 순환의 세계를 보여준다. 글쓰기 초입에 소년소설이나 단막 희곡의 습작을 했다고 해서, 작가의 작품 세계를 도저하게 관류하는 이 장르 확산의 도식에 변동이 있는 것은 아니다.

1931년 7월 『東光』에 시 「나의 꿈」을, 9월 같은 잡지에 「아들아 무서워 말라」를 발표함으로써 문학 장정의 서두를 연 황순원은 이 때를 전후하여 앞서 살펴본 바와 같이 전집에 수록되지 아니한 동요·소년소설 등 여러 장르의 여러 작품을 신문과 잡지의 지면에 발표하기 시작했다. 그의 습작기 초기 작품들은 서정적 감성과 따뜻한 인간애를 가진 작가로서의 근본적인 성향을 잘 보여주고 있고, 이 어린 '봄싹'들이 자라 나중에는 20세기 한국문학의 순수성과 인본주의를 대표하는 '비탈에 선 나무'들을 이루게 되는 것이다.

그리고 수필 「무 배추와 고추」가 발표된 1947년은 해방 직후로 온 천지가 뒤숭숭하고 불안정하기 이를 데 없던 때였다. 그의 가족에게 해방은 진정한 해방이 아니었다. 지주 계층 출신의 지식인 청년은 점점 신변의 위험을 느끼기 시작했고, 공산정권이 구체화되면서 월남의 길을 찾지 않을 수 없었다. 그의 온 가족은 1946년 3월과 5월 두 달 상거를 두고 모두 월남했고 처가는 그보다 앞서 월남했으나, 불행히도 삼촌 세 분은 북쪽에 남고 말았다. 월남한 그 해 9월, 황순원은 서울고등학교 국어교사로 취임했다

수필의 내용으로 보아도 「무 배추와 고추」는 교사로 재직 중에 쓴 것이

었다. 이 해에 그는 장편 『별과 같이 살다』를 부분적으로 독립시켜 여러 잡지에 발표하기 시작하면서 장편소설 작가로 넘어가는 길목을 닦기 시작한다.

단편 「산골」과 수필 「여인편모下」가 발표된 1953년 8월은 전란의 휴전 협정이 조인된 직후이며, 그런 만큼 시대 현상을 반영한 피폐한 삶과 황순원 문학의 본질에 해당하는 내밀한 서정성이 함께 포괄된 문학적 외양을 보여준다. 안타깝게도 《평화신문》 1953년 8월 중에 발표되었을 것으로 추정되는 「여인편모上」은 그 작품을 찾을 수가 없었다.

1955년 9월 『전망』에 실린 「여론」은 '계契'에 관한 설문조사의 응답이며, 1974년 6월 『수필문학』에 발표된 「우리들의 자연과 언어의 의식」은 동료였던 서정범 교수의 수필집 『놓친 열차는 아름답다』에 관한 서평이다.

발굴 작품의 성격과 의미

2010년 제1차로 발굴된 작품 중 「잠자는 거지」는 그 날 그 날 얻어먹고 지내는 외롭고도 가엾은 늙은 거지, 담장 밑에서 잠든 거지를 보고 10대 후반의 감수성 강한 문학 소년이 안쓰러워하는 문면으로 구성되어 있다. 소년은 그 거지가 어려서 놀던 일을 꿈꾸는 것이라고 치부하며, 이 우울한 상황을 밝고 쾌활하게 이끌어 간다. 그런가 하면 「가을비」는 동요 그대로의 음악적 운율에 충실하면서 오동잎과 쓰르라미, 별애기 등 자연 경물을 병렬하는 자연친화적 상상력을 보여준다.

소년시 「언니여-」는 '동경 계신 申兄님께' 라는 헌정 어사가 붙어 있으나 그것이 누구를 향한 것인지는 막연하여 알기 어렵다. 그러나 그 '언니' 는 큰 뜻을 품고 기차를 타고 떠났으며, '노동복' 이나 '변도곽' ─아마도 도시락통일 것으로 짐작됨—으로 유추되는 곤고한 일정을 보내야 하는 인물임에는 틀림이 없다. 그 '언니' 가 '삶에 굶주린 무리를 살 길로 인도할 것' 을 알고 믿고 있다는 고백과 더 한층 의지를 굳세게 하라는 응원이 뒤따르고 있으니, 시대적 정황과 관련하여서도 여러 가지 추측이 가능하다. 물론 이 때의 황순원은 여전히 10대 후반의 문학 소년에 머물러 있다.

소년소설로 명명된 「졸업일」은 '작품 발굴의 경과' 에서 설명한 바와 같이, 『어린이』 잡지 1932년 4월호에 게재된 것으로 확인되지만 불행하게도 정작 그 잡지를 찾을 수가 없었던 경우이다. 그리하여 궁여지책으로 그로부터 3개월 후에 노양근이 같은 잡지에 쓴 「반년간 소년소설 총평(속)」에 그 작품에 대해 쓴 총평을 빌어온 터인데, 이 평을 보면 「졸업일」은 6년간 온갖 어려움을 이기고 아들 '길순' 을 졸업시키는 어머니, 한 모자의 눈물겨운 인간승리를 다룬 작품임이 분명하다.

수필 「무 배추와 고추」는 학교 교사인 남편과 그 아내가 김장 걱정과 더불어 채소 재배를 학습하고 직접 밭에서 실행하는 과정을 그린 작품이다. 아주 새로운 내용이나 서술기법을 보여주지는 않지만, 동시대 서민들의 삶과 그 가운데 숨어 있는 진솔한 생각들을 생생하게 마주할 수 있다. 작가는 글의 말미에 이르러 얼핏 다른 부부의 걱정을 듣고 이를 대신해서 말한다는 어투를 사용하고 있으되, 수필의 장르적 성격상 자전적 경향이 상당 부분 반영되어 있을 것으로 여겨진다.

2011년 제2차로 추진된 발굴 작업에서 새롭게 찾아낸 동요와 시 52편은, 1차에서 발굴된 초기 시들과 아주 다른 특별한 측면이 있는 것은 아니나 황순원 문학의 뿌리 깊은 기반을 보다 안정적이고 풍성하게 확인하는 성과를 거양하게 했다.

지금까지 확인된 황순원의 가장 최초 발표 시인 「누나생각」은 《매일신보》 1931년 3월 12일자에 실렸다. '황천 간 우리 누나' 를 노래한 이 시는 쉽사리 단편 「별」을 떠올리게 하는데, 7·5조의 운율에 실은 동요의 형식이나 그 내용에 있어서는 '비나리는 밤'이나 '창밧게 비소리'를 동원하는 솜씨가 벌써 만만치 않다. 같은 해 《매일신보》 4월 19일자로 발표된 「북간도」에는 나라 잃은 백성의 슬픔과 '승리의 긔'에 대한 다짐이 담겨 있기도 하다.

같은 해 《매일신보》 7월 10일자에 실린 「ᄯᅡᆯ기」와 《동아일보》 7월 19일자에 실린 「딸기」는 일부 자구만 다를 뿐 같은 시의 반복이고, 《매일신보》 9월 5일자 「버들개지」도 같은 지면 4월 26일자에 발표된 동명의 시와 약간 표현이 다른 뿐이다. 그런가 하면 1932년 5월호 『어린이』에 발표된 「언니여-」와, 1935년 4월 5일자 《조선중앙일보》에 발표된 「새출발」, 그리고 같은 해 10월 15일자 같은 지면에 발표된 「개아미」는, 당대로서는 보기 드물게 산문시의 형태를 갖추고 있다.

이 중 「새 출발」은 '나의 동반자에게'라는 부제를 붙여 그 부인 양정길 楊正吉 여사에게 바치는 시로 되어 있다. 이번에 발굴된 선생의 작품 가운데 매우 특별해 보이는 시 한편이 있어, 이를 옮겨두고 보다 자세히 살펴보기로 한다.

하로의 삶을 니으려고
주린 창자를 웅켜쥔 후 거리거리를 헤매는 群衆-
ᄯᅢ ᄯᅢ로 精氣업는 눈에서는 두줄기의 눈물이 흐르며
피ᄉ기업는 입술을 앙물고 ᄯᅥ르고 잇나니
土幕에 잇는 처와 자식이 힘업시
누어잇슴을 생각합니다
◇
날카로운 世紀-
팔목을 것고 일만하면 살수잇다는 道德도

지나간 날에 한썩어새ㅏ진 眞理가 아닌가?

눈압헤 잇는 瞬間的 享樂에 陶醉되여 잇는 무리

빈 주먹을 들고 街頭로 울며 헤매는 무리

술! 돈! 快樂!

피! 눈물! ㅆㅏㅁ!

◇

그러나 마음에 ㅆㅡㅅ안햇든 상처를 밧고

街頭로 울며 불며 헤매는 者여!

지금의 원한을 가슴깁히 뭇처두어라

눈물을 갑업시 흘니지 마러라

　　　　　　　—「街頭로 울며 헤매는 者여」전문, 彗星 第二券 第四號

　1932년 4월 『혜성』 2권 4호에 실린 「가두로 울며 헤매는 자여」는 역시 당시의 시로서는 희소한 유형으로, 그리고 황순원 작품 세계 전체에서도 그러하도록, 시대를 향한 젊은이의 기개를 드러내는 시편으로 제작되었다. 이와 같은 시적 의지력, 문학적 지향성, 그에 따른 표현의 기량이 인간다운 삶의 진실을 목표로 하는 황순원 문학의 근본주의와 조화롭게 악수하면서, 선생의 문학은 80여 년을 완주할 자양분과 기력을 섭생한 것으로 판단된다.

　1931년 4월 7일에서 9일까지 3일간 《동아일보》에 발표된 소년소설 「추억」은, 영일이라는 소년이 여자 사진을 갖고 다니다 학교에서 적발이 되는 사건으로 시작한다. 그런데 사연을 알고 보니 사진의 주인공인 전경숙이란 여자는 자기를 희생하여 주인집 아이를 구한 의로운 사람이었으며, 그 아이가 곧 영일이었다. 숨겨진 진실과 인간애, 그리고 가슴을 울리는 감동을 자아내는 황순원 식 인본주의 인간중심주의의 원형이 거기에 있는 것으로 보인다.

비록 발굴 작품은 아니지만 앞서 「두메」로 제목을 바꾸어 전집에 수록한 것으로 언급한 단편소설 「산골」(『주간 문학예술』, 1952. 9.)은, 그야말로 황순원 단편의 서정성 짙은 분위기와 단단한 서사 구조, 아울러 선명한 주제의식을 한꺼번에 보여준다. 「독짓는 늙은이」에서와 같은 산골, 「소나기」에서와 같은 결미의 압축, 「학」에서와 같은 죽마고우의 심정적 교류 등이 작품 속에 골고루 용해되었다. 눈앞에 드러난 것보다 눈에 보이지 않는 것의, 작고 여물고 소중한 숨은 의미들이 이 초기 작품들의 행간에 잠복해 있다.

여기에 모두 71편의 발굴 작품 목록을 첨부한다. 판독이 불가능한 시 10편을 제외한 62편의 작품은 따로 자료화 해 두었다.

황순원발굴작목록l

(발굴기간:2010.9.~2011.8.)

장르	No.	작품	년도	게재지	비고
시	1	형님과 누나	1931	매일신보	△(미확인 글자 있음)
	2	누나생각	1931.3.19	매일신보	
	3	봄싹	1931.3.26	동아일보	
	4	문들네꼿	1931.4.10	매일신보	
	5	달마중	1931.4.16	매일신보	
	6	북간도	1931.4.19	매일신보	△
	7	버들개지	1931.4.26	매일신보	
	8	비오는밤	1931.4.28	매일신보	
	9	버들피리	1931.5.9	매일신보	
	10	칠성문	1931.5.13	매일신보	
	11	단시 3편	1931.5.15	매일신보	
	12	우리학교	1931.5.17	매일신보	
	13	하날나라	1931.5.22	매일신보	
	14	이슬	1931.5.23	매일신보	
	15	별님	1931.5.24	매일신보	
	16	할연화	1931.5.27	매일신보	
	17	시골저녁	1931.5.28	매일신보	
	18	할머니 무덤	1931.6.2	매일신보	
	19	살구꽃	1931.6.5	매일신보	
	20	나	1931.6.7	매일신보	
	21	회상곡	1931.6.9	매일신보	
	22	봄노래	1931.6.12	매일신보	
	23	갈닙쪽배	1931.6.13	매일신보	
	24	거지아희	1931.6.19	매일신보	
	25	우리형님	1931.6.20	매일신보	
	26	외로운 등대	1931.6.24	매일신보	
	27	소낙비	1931.6.27	매일신보	
	28	우리옵바	1931.6.27	매일신보	
	29	잠자는 거지	1931. 7.	아이생활 6권 7호	동요,1차(2010) 한국아동문학센터발굴

	30	종소래	1931.7.1	매일신보	
	31	단오명절	1931.7.2	매일신보	
	32	걱정마세요	1931.7.3	매일신보	
	33	수양버들	1931.7.7	매일신보	
	34	기	1931.7.10	매일신보	
	35	딸기	1931.7.19	동아일보	
	36	여름밤	1931.7.19	매일신보	
	37	모힘	1931.7.21	매일신보	
	38	수양버들	1931.8.4	동아일보	
	39	시골밤	1931.8.29	매일신보	
	40	버들개지	1931.9.5	매일신보	4.26일 시 (7번)와 약간 다름
	41	꽃구경	1931.9.13	매일신보	
	42	가을	1931.10.14	동아일보	
	43	가을비	1931. 11.	아이생활 6권 11호	동요,1차(2010) 한국아동문학센터발굴
	44	나는실허요	1931.11.1	신소년	한국아동문학센터발굴
	45	묵상	1931.12.24	중앙일보	△ 전면 개작후 전집 수록
	46	봄밤	1932.3.12	동아일보	
	47	살구꽃	1932.3.15	동아일보	
	48	봄이 왓다고	1932.4.6	동아일보	
	49	할미?	1932.4.17	중앙일보	△
	50	언니여–	1932. 5.	어린이雜誌 10권 5호	소년시,1차(2010) 한국아동문학센터발굴
	51	봄노래	1932.6.1	신동아	
	52	새 출발	1935.4.5	조선중앙일보	△
	53	개아미	1935.10.15	조선중앙일보	
	54	이슬	1935.10.25	동아일보	
	55	街頭로울며 헤매는 者여	1932.4.15	혜성 제2권 제4호	
단편	56	추억(1)	1931.4.7	동아일보	소년소설
	57	추억(2)	1931.4.8	동아일보	소년소설
	58	추억(3)	1931.4.9	동아일보	소년소설

장르		작품	년도	게재지	비고
수필	59	무 배추와 고추	1947.11·12	신천지 11·12 합병호	1차(2010) 한국아동문학센터발굴
	60	여인편모(下)	1953.8.26	평화신문	
	61	그와 그네			
서평	62	우리들의 자연과 언어와 의식	1974.6.1	수필문학	
설문	63	여론	1955.9.1	전망	△

황순원 발굴작 목록 Ⅱ (판독불가)

장르	No.	작품	년도	게재지	비고
시	1	송아지	1931.12.22	중앙일보	
	2	새봄	1932.2.22	중앙일보	
	3	눈내리는 밤	1932.2.28	중앙일보	
	4	밤거리에 나서서	1934.12.18	조선중앙일보	
	5	새로운 행진	1935.1.2	조선중앙일보	
	6	거지애	1935.3.11	조선중앙일보	
	7	밤차	1935.4.16	조선중앙일보	
	8	찻속에서	1935.7.26	조선중앙일보	
	9	고독	1935.7.5	조선중앙일보	
	10	무덤	1935.8.22	조선중앙일보	

동란 직전, 그리고 1970년대 초입의 세태와 황순원 문학

— 새로 확인된 황순원의 단편소설 · 꽁뜨 · 수필 · 발표문 등 4편

2012년, 새로운 작품 4편 추가 확인

황순원기념사업회에서는 2012년 들어 앞서 언급한 문헌자료 수집가 문승묵 선생의 도움을 받아, 그동안 알려지지 않았던 황순원의 작품 4편을 더 발굴하였다. 이 작품들은 단편소설 1편, 꽁뜨 1편, 수필 1편, 주제발표문 1편 등 모두 4편이다. 사실은 이 4편 이외에도 1958년 1월 1일 《한국일보》 신춘문예 소설 심사평, 1965년 10월 9일 《신아일보》에 기고한 한글날 특집 「한글을 말 한다」 기고문, 1966년 1월 1일 《대한일보》 신춘문예 소설 심사평, 1966년 3월 1일 《조선일보》 3 · 1문화상 본상 수상 인터뷰 등의 자료가 함께 발굴되었으나 이는 작가의 문학작품이 아닌 까닭으로 여기에서는 그 목록만 언급해 두기로 한다. 이번 발굴 작품 4편의 출전은 발표순으로 보면 다음과 같다.

꽁뜨 「눈」 :《국도신문》, 1950.1.8

단편소설 「양말」 :《사정보》, 1951.3.30, 1951.4.9

수필 「아름다운 늙음」 :《조선일보》, 1968.1.30

주제발표문 「한국문학에 있어서의 해학의 특성 - 요약」 :《조선일보》, 1970.6.30

이 중 꽁뜨 「눈」과 단편소설 「양말」은 6·25동란이 발발하기 몇 달 전 어느 산촌의 폭설 이야기와 대구에서 직장 생활을 하는 부부의 양말 구매 이야기이다. 이 작품들이 발표되던 당시 작가는 그 가족들과 함께 1946년에 월남하여 남한에 살고 있었고, 월남한 그해 9월부터 서울 고등학교 국어 교사로 재직하고 있었다.

발굴된 작품의 의미와 문학적 좌표

「눈」은 《국도신문》이라는, 이름을 잘 알 수 없는 신문 지면에 실린 꽁뜨이다. 함박눈이 내리는 산촌의 밤, 화자인 '나'는 자주 '마을'을 가는 육손이 할아버지의 '일깐'에서 함경도에서 온 '삼봉이 아버지'란 인물을 만나 그의 산수갑산 눈 이야기를 듣는다. 폭설로 통행이 막힌 '어떤 외따루 떨어져 있는 산골 집'에 아내만 남겨두고 남편이 식량을 구하러 타처로 나간다. 그 사이 남자 손님이 들어 발이 묶인 두 사람이 함께 겨울을 나고, 이듬해 봄 길이 열린 뒤에 제 갈 길을 떠나던 손님은 그 남편을 만나 고맙다는 인사를 나누는 줄거리이다.

사칫 치정극이 될 수도 있는 이야기인데, 자연 환경의 위력 앞에 소박하게 마음을 열고 서로 인정을 나누는 모습이 황순원의 인본주의, 인간중심주의를 다시 생각하게 한다. 이 강고한 인간애의 원론 앞에 바깥세상의 분란은 침투할 경로를 차단당한다. 이 광경은 황순원 소설적 인간학의 원론 그대로이다.

「양말」은 《사정보司正報》라는 이름의 지면에, 단기 4284년 3월 30일과 4월 9일 두 차례에 걸쳐 연재된 단편소설이다. 이를 서기로 환산하면 1951년 신묘년이고 작가의 생애에 있어서는 6·25동란으로 인한 부산 피난 시기에 해당한다. 「양말」은 그래도 대구란 큰 도회가 소설의 배경이 되었고, 등장인물들의 삶 속에서 「눈」과는 달리 궁핍한 시대의 모습이 그림자처럼 드리워져 있다. 겨울 한파가 극심한데 '그'가 근무하는 '사'에는 난방이 온전치 못하다. 때는 봄이 오고 있는 시기, 작품의 발표 날짜가 3월 30일이니 제 시기에 창작된 작품이라 짐작해 볼 수 있다.

'그'는 사원 중 한 사람이 가져온 양말을 보고 아침에 본 아내의 떨어진 버선을 생각하면서 한 켤레를 사다 주었다. 아내는 자신의 맨발을 그대로 두고 그 양말을 일선장병에게 위문품으로 보낸다. 남편은 그 아내의 처녀 시절을 떠올리고, 또 '완연히 제 봄을 제가 차지한 하나의 다른 여인'으로 느끼며 가슴의 동계를 경험한다. 짧지만 아름다운 이야기이다. 이 작품은 「눈」에 비하면 소설의 배경과 이야기가 약간 확대되기는 했으나, 두 작품은 모두 동일한 인간애 지상주의 계열에 속한다. 거기에 작가 황순원의 변함없는 순문학적 근본주의가 잠복해 있다.

여기에 함께 실린 두 작품의 전문을 통해 확인할 수 있는 것처럼, 작가는 그렇게 곤고한 삶의 와중에 있으면서도 순후한 인간애, 인본주의에 대한 믿음을 저버리지 않고 있다. 세상을 사는 동안 무엇을 소중하게 여기고 무엇을 저버리지 않아야 할 것인가에 대한 경각심이 문루 높은 성채처럼 견고해 보인다.

「아름다운 늙음」은 작가 자신이 '남자는 늙어가면서도 아름다울 수 있는 존재'라고 규정했던 그 생각을 수필로 썼다. 단편 「아버지」에서는 오산학교 교장이었던 남강 이승훈 선생과 3·1만세운동 때 평양 시내 태극기 배포 책임자로 옥살이를 하던 부친 황찬영 선생에게서 그 표본을 보았다고 했다. 그런데 여기에서는 그 아름다운 남자의 대열에 고당 조만식 선생이 더하여져 있다. 글 또한 《조선일보》에 고당 선생의 85회 생신 일에 붙여 기고했다.

《조선일보》에 「양반전…상민의 마지막 분별」이란 주 제목을 달아 실린 발표문은, 이 작가로서는 보기 드물게 국제대회의 주제발표 요약이다. 황순원은 1970년 6월 국제펜클럽 제37차 서울대회에서 한국 대표로 「한국문학에 있어서의 해학의 특성」이란 제목의 주제발표를 했고, 그동안의 작품 창작으로 한국문학 발전에 기여한 공로와 이때의 공로를 합하여 그해 8월 15일 광복절에 국민훈장 동백장을 받기도 했다. 발표문은 신문지면 관계상 요약된 것이다. 그 내용에 있어서는 「양반전」과 하근찬의 「수난이대」를 예거하면서 한국문학에 나타난 해학의 의미를 다루었다. 그동안 발표 사실은 알려져 있었으나 그 원고는 찾을 길이 없었다.

이번에 '발굴'이란 명목으로 다시 내놓는 4편의 작품은, 작가가 생존해 있었다면 그 일 자체를 반대했을 것이 명약관화하다. 하지만 이미 '발굴'이 되어 세인의 눈앞에 다시 등장했다면, 오히려 그의 제자요 기념사업의 실무를 맡고 있는 필자가 해설을 맡는 것이 온당하리라 여겨졌다. 이 소략한 글들 가운데에도 여전히 작가 황순원의 작가로서의 특성이 면면히 살아 있고 그것은 순수와 절제, 서정성과 완결성, 인간애와 인간중심 사상, 합리성과 문학지상의 근본주의 등의 항목으로 설명될 수 있다. 한 작가의 시작과 끝이 이렇게 올곧고 충일한 문학관으로 일관한 사례, 그러한 수범을 다시 찾아보기는 어렵다. 그러한 점에서도 황순원과 그의 작품들은 우리 문학사의 빛나는 성좌에 이르렀다고 할 수 있겠다.

동심의 순수, 그 아름다운 연장

― 황순원 오마주, 「소나기」 속편 11편 해설

1.

　황순원의 단편 「소나기」는 문단 일각에서, 그리고 문학 애호가들에게서 '국민 단편' 이란 별칭으로 불린다. 우리가 차마 사랑이라는 이름으로 부르기가 조심스러운, 소년과 소녀의 순수하고 아름다운 첫사랑 이야기를 담고 있다. 오늘의 기성세대에 이른 사람들은 누구를 막론하고 중학교 교과서에 실렸던 이 소설을 기억한다. 소설의 중심인물인 소년과 소녀는 초등학교 학생이지만, 그 미묘한 감정적 교류를 이해하는 데는 적어도 중학생의 나이가 되어야 하지 않을까 싶다.

　소나기가 창작된 것은 한국전쟁이 한창이던 1952년 10월이고 발표된 것은 아직 전쟁이 끝나지 않은 1953년 5월이다. 작가 황순원의 창작 궤적에 비추어 보면, 처음에 시를 쓰다가 단편소설을 거쳐 장편소설로 넘어가는 확대 변화의 과정 가운데 단편소설 창작의 기량이 극대화 되어 있던 시기의 소산이다. 그 기량으로 작가는 모든 사람의 가슴 속에 '전설' 처럼 숨어 있는 첫사랑의 비밀을 더 없이 결이 고운 이야기로 형상화했다. 그러므로 이 소설을 읽는 어린이, 청소년, 중·장년, 노인 모두를 막론하고 그 가슴에 숨겨둔 '보석' 으로부터 자유롭지 못하게 한다.

「소나기」는 여운이 오래 남는 이야기의 줄거리도 줄거리려니와 이를 부양하는 황순원 특유의 간결하고 견고하며 서정적이고 상징적인 문장으로 한결 더 돋보이는 작품이다. 시인으로 출발한 작가의 이력이 짐작하게 하는 바이거니와, 이 작가는 장편소설의 세계를 거쳐 다시 함축적인 단편과 시의 세계로 돌아오기까지 소설에서도 시적 응축과 묘사의 문체를 포기하지 않았다. 더욱이 앞서 언급한 바처럼 전란의 분진粉塵이 자욱하던 시기에 이처럼 청신하고 감동적인 작품을 창작했다는 것은, 그가 20세기 격동기의 한국문학에 순수와 절제의 극極을 이룬, 소설을 통한 인간 구원에의 의지와 인본주의를 끝까지 밀고 나간 작가임을 증거 한다.

작가의 삶과 문학을 기리고 그 문학정신을 현창하기 위해 건립된 황순원문학촌 소나기마을에서는, 지난 2015년에 탄생 100주년을 기념하여 황순원 오마주 「소나기」 속편쓰기 사업을 기획하고 진행했다. 그리하여 대산문화재단에서 발간하는 『대산문화』에 작가로부터 직접적인 가르침을 받은 제자 작가를 위주로 모두 5편의 속편을 싣도록 했다. 그리고 소나기마을에서 발간하는 소식지 『소나기마을』에, 작가가 23년 6개월 동안 재직했던 경희대학교 출신 젊은 작가를 위주로 4편의 속편을 실었다. 그런가 하면 황순원문학제 행사의 일환으로 전국 공모전을 시행하여 고등부와 일반부에서 각기 1편씩 2편의 대상 수상작을 얻었다.

이 책에 수록된 11편의 속편은 그렇게 해서 한 자리에 모이게 되었다. 문제는 단순히 「소나기」 속편을 한데 모았다는 표면적 사실이 아니다. 우리가 함께 안타까워하고 한숨짓던 가슴 설레는 어떤 가능성의 멸실, 어쩌면 속절없이 멸실 되었기에 더 순후하게 슬프고 아름다울 수 있었던 그

가능성을 오늘의 시각과 문맥으로 다시 되살려 보는 데 뜻이 있었다. 황순원 선생의 슬하에서 문학을 배운 제자들, 그리고 그의 제자들에게서 문학을 익힌 제자들의 글이므로 수록 순서는 상례에 따라 연장의 기준을 지켰다. 그러나 이 글에서 작품을 살펴보기로는 '소녀의 죽음'을 기점으로 거기서 가까운 시간대를 운용하는 작품의 순서가 될 것이다.

2.

구병모의 「헤살」은 소녀를 떠나보낸 바로 그 직후, 소년의 여리고 아픈 속내를 그대로 드러낸다. 며칠을 '까닭 없이' 앓아누웠던 소년의 꿈속에서는 꽃냄새가 난다. 비단조개가 손가락에 닿는 감촉도 있다. 앓다 일어나 학교로 가는 소년의 주머니에는 호두알 몇 개와 조약돌이 들어 있다. 모두 그대로 있다. 다만 소녀가 없을 뿐이다. 소년의 입에 '근동에서 제일 가는 덕쇠 할아버지네 호두'에서는 아무 맛도 나지 않는다.

> 소년은 개울둑 앞에 우뚝 멈춰 섰다. 텅 빈 징검다리에는 물소리만 맑게 흘렀다. 가끔 텃새가 날개로 물을 훑고 지나가는 소리가 찰방, 울렸다. 그때마다 소년은 흠칫 놀라 소리 나는 쪽을 돌아보곤 했다.

소년은 그 개울을 건너지 못한다. 학교도 가지 못한다. 소년의 어머니는 소년의 이 마음 속 아픔을 짐작하고 있는 듯하다. 이마의 열이 떨어지지 않기가 일주일을 넘긴다. 까무룩 잠에 떨어졌다 깬 소년의 손길 닿는 곳에 '그날 입었던 저고리'가 잡힌다. 다시 개울로 나간 소년은 스스로 감당하기 어려운 동통疼痛을 넘어서기 위하여 힘겨운 진혼제鎭魂祭를 지낸다. 누가 가르쳐주어서가 아닌, 혼자 깨우친 제례다.

주머니에 있던 호두 알맹이를 개울에 뿌린다. 말라비틀어진 대추 몇 알과 소녀의 목덜미처럼 흰 조약돌까지. 그리고 책보를 풀어 속에 든 그 저고리를 물 위에 푼다. 얼룩이 든 저고리는 흠뻑 젖은 채 물살을 따라 유유히 떠내려간다. 떠내려간 것이 비단 저고리뿐이겠는가. 소년은 비로소 징검다리를 한 칸씩 디디기 시작한다. 황순원 「소나기」의 이야기와 분위기를 그대로 이어, 소년의 아픔과 그 감당의 뒷이야기를 맑고 서정적으로 그린 작품이다.

손보미의 「소나기」는 소년과 소녀가 첫정을 가꾸던 바로 그 시점에서 출발한다. 이 작품의 화자는 이들의 교유를 질시의 눈으로 바라보는 또 다른 소녀, 곧 소년을 좋아하는 같은 또래의 소녀. 매우 독특하고 한편으로는 효율적인 관찰자의 시선 배치에 해당한다. 이 관찰자 소녀가 읍내 중학교와 서울에 있는 고등학교와 여대에까지 진학하고 있으니, 이 소설은 기본적으로 회상 시점에 의거해 있는 셈이다.

화자는 먼저 열두 살 나이에 맞은 할머니의 죽음과 장묘에 대해 말한다. 이를테면 다가올 죽음에 대한 예고요 두 죽음의 비교를 위한 복선이다. 할머니가 세상을 떠난 지 일주일 정도 지났을 때 서울에서 '여자애'가 전학을 온다. 분홍빛 스웨터와 청치마를 입고, 무릎까지 올라오는 반양말을 신었다. 얼굴이 아주 하얗고 어깨를 덮는 머리는 양쪽으로 곱게 땋아 있다. 황순원 「소나기」의 소녀를 그대로 옮겨놓은 여자애다. 문제는 이 여자애를 화자가 아는 남자애, 보다 정직하게 말해 화자가 좋아하는 남자애가 '넋 놓고 바라보는' 데 있다.

그날 나는 처음으로 내 자신이 '정말로' 못 생겼다는 생각을 했던 것 같다. 그리고 처음으로 어머니 아버지를 원망했다. 왜 우리 부모님은 나를 이런 시골에서 나고 자라게 한 것일까? 내가 다른 부모님 아래에서 태어나 자라났다면 좀 더 예쁠 수 있지 않을까? 어쩌면 그건 예쁘고 예쁘지 않고 그런 문제와는 상관없는 걸지도 모른다고, 나는 어렴풋이 그런 생각을 했던 것 같다. 그건 삶에 대한 문제라고. 그러니까 여기의 삶과 저기의 삶.

「소나기」 속의 소년과 소녀가 발산하는 이미지가 너무 강렬하여, 그 주변의 사람이나 경물은 모두 부속품으로 묻혀버리기 십상이다. 그런데 이 작품은 그렇게 소실된 배경과 주변 인물들을 중인환시리衆人環視裏의 무대로 이끌어냈다. 소년과 소녀 또래의 다른 아이들도 이들에 못지않은 성장통을 앓고 있는 시기.
　화자인 여자애의 서울 소녀를 향한 감정은 분노다. 심지어 "그 여자애 죽어버렸으면 좋겠다"고 말한다. 결국 소녀는 죽었지만, 화자 여자애가 소년과 함께 걸을 길도 사라졌다. 모든 죽음은 그렇게 흘러간다. 다만 성년이 된 화자에게 소년의 표정, '갈꽃을 이고 가던 여자애를 바라보던 그 표정'은 여전히 반복해서 떠오르는 기억이다. 새로운 방향에서 새로운 눈으로 나이와 마음의 성장을 함께 그린 작품이다.

　전상국의 「가을하다」는 소년에게 '현수'라는 이름을 부여하고 그를 양평중학교 2학년 학생으로 변환한다. 현수의 소녀는 이 년 전에 이 세상을 떠났다. 그러나 현수는 소녀를 떠나보내지 못한다. 소녀는 갈대숲 한가운데 갈대꽃으로 피어 있다. 그 뿐만 아니다. 현수와 꼭 같은 정신의 연령으로 활인화 하여, 현수를 '오빠'라 부르며 온갖 생각을 함께 나눈다. 그 모든 상황의 바탕에 '가을하다'라는 새로운 조어造語가 있다. 풍경을 보며 향기를 맡으며, 이를 표현하는 말에도 그 마음에도 '가을하다'를 덧붙인다. 그때 몰랐던 소녀의 이름은 이제 '가을이'다.
　소년에서 청소년이 된 현수는 언제 어디서나 가을이와 속삭이듯 대화한다. 그 가을이가 성숙한 어른의 모습을 하고 나타나면, 흰색 블라우스를 입고 가정방문을 오는 담임선생님이 된다. 그렇게 가을이는 어디에나 있고, 정작에 있어서는 어디에도 없다. 마치 이청준 소설 「이어도」에서 이어도의 의미가 그러하듯이. 중학생 현수의 책가방 속에는 항상 주머니에 넣고 다니는 하얀 조약돌과 비슷한, 스무 개도 넘는 조약돌이 들어 있다. 작가는 소설의 문면에 이렇게 썼다. 사라진 것은 보이지 않는다. 그러나 보이지 않는다고 없는 것은 아니다.

현수는 눈을 감는다. 눈을 감으면 보고 싶은 것이 보인다. 감은 눈 속에 소녀의 가을 가을한 눈이 보인다.

이것이 중학생의 인식 수준일까. 그럴 수도 있다. 그러나 그 인식의 지점에 도달하는 것과 그것의 깊이를 체현하는 것은 사뭇 다르다. 그런 점에서 모든 「소나기」는 회상 시점을 외면하기 어렵다. 마치 제임스 조이스의 「애러비 시장」이 그러한 것처럼. 그 단계와 등급을 수용하면 작가가 수월해진다. 현수는 종내 "아름다운 꽃이 폈을 때도 슬픈 일이 일어난다"고 술회할 수 있다. 현수는 스무 개의 조약돌을 개울로 보내고 마지막 하나만 간직한다. 그렇게 현수는 자기 생애의 한 고개를 넘는다. 이것은 「소나기」의 소년이 힘겹지만 자기 걸음으로 열어가는 성장사의 첫 대목이다.

서하진의 「다시 소나기」는 고등학생이 된 소년, '환'이라는 이름을 가진 학생이 보름달이 뜬 밤에 소녀의 무덤을 찾아가는 장면으로 서두를 연다. 그것은 한 이야기의 종막이 아니라 새로운 이야기의 시발이다. 다음 날 아침 등교 길에 환의 어깨를 툭 치는 손, 새로운 소녀가 등장한 것이다. 고등학교 같은 반의 윤희영이다. 중학교만 마치면 됐다는 아버지의 뜻을 거슬러 어머니는 환을 고등학교에 보냈다. 세 시간 통학 거리의 학교가 있는 그곳, 양평이다. 윤희영이 환에게 특별한 이유는 원작 「소나기」로부터 왔다.

소녀가 얼굴을 바짝 들이밀며 물었다. 소녀에게서는 알 수 없는 향기가 났다. 환은 어지러웠다. 눈에 잔뜩 힘을 주고 소녀를 노려보았다. 저 말투, 저 표정. 대체 이 아이는 누구인가. 어째서 이토록 닮은 얼굴을 하고 있단 말인가.

윤희영이 그냥 놀라운 것이 아니다. 환은 여전히 홀로 밤을 더듬어 분홍 스웨터를 입은 채 잠들어 있는 소녀를 만나러 가곤 한다. 그 옛날처럼 호두와 대추와 조약돌을 품고서. 윤희영이 수업시간에 쓴 시 '갈대' 의 짧은 전문全文, "별을 쓰느라 머리가 세었소"는 그대로 황순원 제2시집『골동품』에 있는「갈대」의 전문이다. 이 소설이 오마주 한 그 원작의 환경과 더불어 환과 윤희영은 깊은 인연으로 묶여 있다. 환은 윤희영을 예의 그 소나기 들판으로 데려간다. 윤희영은 죽은 소녀의 사촌, 쌍둥이처럼 함께 자란 사촌이다. 전혀 몰랐던 일이다. 환은 비로소 소녀의 이름이 '희수' 였음을 알게 된다.

이 소설은 고등학생 연령이 된 소녀의 자리에 소녀의 사촌이었던 윤희영을 가져다 두고 환의 반응을 관찰하는, 말하자면 인정적이면서도 냉엄한 구도를 가진 작품이다. 소녀는 혼잣말처럼 이렇게 중얼거린다. "갑자기 잃는 것과 갑자기 얻는 것…… 어느 쪽이 더 힘이 들까." 아직 면식이 짧은 두 고등학생이 이와 같은 심정적 교감에 동참할 수 있다면 윤희영과 희수 사이에 개재한 거리, 유명幽明을 달리한 그 심정적 거리는 결코 멀지 않다. 그것은 어쩌면 운명적인 교감 때문인지도 모른다. 우리는 함께 이제 고등학생이 된 소녀를 보는 셈이다.

김형경의 「농담」은 고등학생 시기를 거쳐 대학생 청년이 된 소년의 이야기를 다루고 있다. 어린 시절에서 젊은 시절에 이르기까지 소년이 어떤 사람됨으로 자신의 길을 걸어갈 수밖에 없었는가에 대한 증언이다. 처음의 소년, 급작스럽게 소녀를 잃은 소년의 세계는 모든 것이 상실의 느낌으로만 비친다. 그런데 역설적으로 소녀가 떠난 후 소년은 모든 곳에서 소녀를 본다. 개울가에 소녀는 없지만 '이 바보'라는 목소리는 그냥 그곳에 있다. 아마도 소년은 일생을 두고 이 주박呪縛으로부터 벗어나기 어려울 터이다.

고등학생이 된 소년은 교복을 입은 채 개울가에 선다. 그 모습을 개울에게, 아니 예의 소녀에게 보여주고 싶었다. 동급생 여학생을 데리고 개울로 징검다리로 수수밭 벌판으로 다녀보기도 한다. 예기치 않게 입술을 포개기도 한다. 그리고 소원疎遠해져서 졸업할 때까지 화해하지 못한다. 영문을 알 수 없었다. 다만 "생이 농담이거나 수수께끼라고 말하는 이들의 마음에 공감할 것 같았다." 이것이 앞서 말한 그 주박이 아니면 무엇일까.

서울에서 대학 첫 학기를 보내면서 청년은 세상에 여자가 그토록 많다는 사실에 놀랐다. 많은 여자들이 모두 개성 있었다. 얼굴이 흰 서울 여자라는 이유만으로 한 여자가 특별해지지는 않았다. 한 잔의 차나, 한 번의 웃음에 의미를 두지 않는 것도 배웠다. 개울가나 수수밭처럼 어떤 공간을 두려워 하게 될까봐, 그런 공간이 많아져 살아갈 곳이 줄어들까봐 조심했다. 자기에게서 떨어져나간 마음이 저 혼자 개울가나 수수밭을 떠돌까봐 두려웠다.

청년은 제 방식대로 세상살이의 문법을 익히고 있다. 그리고 어렴풋이 짐작한다. "그것은 사랑의 치명성이 아니라 정서의 취약함이라는 것을." 굳이 부연하여 말하자면 전자의 공간에서 후자의 공간으로 옮겨 가야 제 방식의 삶을 얻을 수 있을 것임을 짐작하는 것이다. 여름방학을 맞아 고향에 돌아온 청년은 어머니 심부름으로 수수밭에 이른다. 어렸을 때 자신을 도와준 수수밭 주인아주머니와 그 딸을 만난다. 그러나 그러한 일들 또한 농담이거나 수수께끼 같은 세상에 또 하나의 농담을 보태는 일인 것으로 생각한다. 애써 숨기고 있지만, 어린 시절에 생의 허무를 미리 보아버린 눈에 소녀 없이는 모두 농담인 세상, 그것이 그가 살아야 할 현실이요 미래다.

이혜경의 「지워지지 않는 그 황톳물」은 소년을 공장에 다니는 스물한 살 청년 '그'로 분장했다. 그 나이에 이르기에 앞서 중학교 시절의 소년이 등장하고, 이 모든 과정의 배면에는 언제나 옛날의 어린 소녀가 잠복해 있다. 윤 초시네는 도시로 이사 가고 마을의 유일한 기와집이었던 윤 초시네 집은 기왓골마다 풀이 돋은 빈집이 되었다. 소녀의 무덤은 학교로 가는 지름길인 산길 가에 있다. 중학생인 소년은 혼자 무덤을 찾아가기도 하고 말을 건네기도 한다. 중학교를 마친 소년은 삼촌의 소개로 도시의 공장에 취직했다.

화보를 넘기던 동료들이 옥신각신하는 소리에 고개를 빼고 들여다보았다. 흰 블라우스에 검정 점퍼 스커트 차림의 여학생이 미소 짓고 있었다. 가슴이 철렁 내려앉았다. 단발머리에 하얀 얼굴, 볼우물이며 분꽃 씨앗처럼 까맣게 영근 눈동자가 영락없는 그 서울 애였다. 살아 있다면 지금 꼭 이럴 것이다. 쌍둥이라 해도 믿을 것 같았다. 그럴 리 없다는 걸 알면서도, 그 사진 아래에 적힌 이름을 유심히 보지 않을 수 없었다. 윤 씨는 아니었다.

스물한 살이 된 청년은 잡지에서 그 페이지를 몰래 찢어낸다. 접어서 작업복 호주머니에 넣었다. 한동안 그 종이쪽은 언젠가 연기처럼 달아난 조약돌을 대신한다. 중학교 때까지 그토록 소중하게 간직하던 조약돌이 없어진 것은 성장해가면서 세상의 삶에 익숙해져가는 소년의 모습을 보여주지만, 아직도 철렁 내려앉는 가슴을 가진 것은 그 가슴에 소녀가 담겨 있기 때문이다. 이 소년 그리고 청년은, 모름지기 그 가슴을 그대로 안고 평생을 살아야 할 것이다. 이것이 아름다운 추억의 축복인지 벗어날 길 없는 과거사로 인한 형벌인지 제대로 가늠하기는 어렵다.

도시에서 공장을 다니다가 오랜만에 온 집은 작게 느껴지지만 아늑하다. 잠들었다 깨어나 '한 생을 건넌 듯' 한 그에게, 어머니는 도시로 이사 가기로 했다고 일러준다. 소녀네도 소년네도 모두 떠난 그 마을, 서당골 마을엔 무엇이 남을까? '마지막일지도 모르는 풍경'을 눈에 담는 그의 심사에는 무엇이 담겨 있을까. 산 어귀에서 쓸쓸하게 흔들리는 구절초처럼 처연한 추억의 그림자다. 그래서 이 작품 또한 슬프고도 아름다운 원래 이야기의 연장선상에 효율적으로 놓여있다.

3.

노희준의 「소나기」는 앞서의 작품들이 보여주었던 연령대들을 한꺼번에 훌쩍 뛰어 넘는다. 「소나기」의 소년은 다섯 살이 된 손녀를 둔 할아버지가 되었다. 손녀의 이름은 은혜. 할아버지인 '그'는 언젠가 손녀에게 '바보야' 하면서 돌을 던진 소녀의 이야기를 해준 모양이다. 왜 '모양'이냐 하면 그가 치매 초기 증세를 보이고 있는 까닭에서다. 아들 내외와 손녀와 함께 동물원에 왔고, 아들 내외가 잠깐 자리를 비운 사이 손녀와 대화하는 곳에서 소설이 시작된다. 세상은 너무도 개명開明해서 사람 얼굴을 스캔한 다음 쓰리디 프린터로 작은 인형으로 만들어주는 데까지 와 있다.

절대 사라지지 않을 것 같던 상처도 이십대의 가슴앓이와 함께 지나가 버렸다. 밤만 되면 가슴이 뜨거워 잠 못 드는 나이가 지나가고 나자 그는 더 이상 소녀에 대해 슬픈 마음이 들지 않았다. 열정이 있어야 상처를 되새길 힘도 있는 거라고, 상처를 앓는 데도 젊음이 필요했던 거라고, 어느 순간 생각하게 되었다. 자식이 두 명 다 아들이어서 그 나이 또래에도 소녀와 동일시되는 순간은 없었다. 무엇보다 자식들은 그와 전혀 다른 청소년기를 보냈다. 무슨 일이 있어도 다르게 보내게 해야 한다고 생각했다. 그렇게 만들기 위해 열심히 일하는 동안, 소녀의 기억은 전생처럼 멀어져만 갔다. 어쩌면 그가 여러 번을 다시 살 듯 한 번의 생을 살아왔기 때문일지도 몰랐다.

이 예문에서 목도할 수 있듯이, 그는 자신의 삶에서 소녀의 기억을 지우는 데 평생을 두고 애써야 했다. 그리고 결과는 그 일이 가능하지 않다는 것이었다. 심지어 동물원 쓰리디 프린터 인형 가게의 점원 얼굴에 말간 햇빛이 떨어지면, 그 투명함 때문에 어린 시절에 개울가에서 함께 놀았던 소녀의 얼굴을 다시 보는 것 같다고 생각한다. 칠십이 넘어 머리에 문제가 생겼음을 알게 되었지만, 유년기의 기억은 눈앞에 있는 것처럼 생생하다. 그 동물원에도 갑자기 소나기가 내린다. 삶의 끝자락에서 사위어가는 의식을 붙들고서도 오랜 세월 저 쪽 동심의 기억은 이토록 강렬하다.

조수경의 「귀향」 또한 소년을 노년에까지 이끌고 갔다. 그의 소설 속 이름은 '남자' 다. 남자의 아내가 치매에 이른 것을 보고 대략의 연령대를 유추할 수 있다. 남자는 오랜만에 고향을 찾는다. 흘러간 세월만큼 풍경도 변해 있었다. 남자는 아주 오래 전에 매일 누군가를 기다리던 곳을 찾아갔다. 그 자리에 이르도록 남자의 삶은 만만치 않았다. 남자의 가족이 고향을 떠난 건 중학생 때였고, 고향을 잃은 대가로 도시에 있는 대학을 나와 초등학교 선생 노릇을 할 수 있었다. 하지만 소녀를 잊을 수는 없었다.

그랬다. 살다보면 가끔 또래들 사이에서 소녀를 만날 수 있었다. 소년이 자라나 고등학생이 되고 성인이 되듯, 기억 속에 머물고 있는 소녀도 속도를 맞춰 함께 자라났다. 남자는 비슷한 나이대의 사람들 속에서 소녀와 닮은 사람을 찾을 수 있었다. 아내가 그런 사람이었다.

남자는 처음 부임한 학교에서 아내를 만났다. 하얀 얼굴에, 웃는 모습이 소녀를 닮은 여자였으니 그의 심리적 상태는 참으로 중증이었다. 그 아내가, 자신과 함께 늙어가던 아내가, 며느리를 두고 입에 담지 못할 말을 내뱉고는 아무 일도 없었다는 듯이 식사를 이어갔고 그 일은 시작에 불과했다. 이 막다른 길에서 남자는 소녀가 있던 고향을 찾아간다. 평생 동안 주머니 속에 조약돌을 간직해 온 것처럼, 노년의 남자는 평생 동안 어린 시절의 한 순간을 자신의 내면에 감추고 살았다. 이 작품은 그 슬픈 인생사의 기록이다.

박덕규의 「**사람의 별**」은 우리가 지금까지 읽어온 작품들과는 아주 다른 방식의 이야기다. 지금까지는 소녀를 잃은 소년이 사람의 몸과 마음으로 된, 그 일반적 생명력으로 스스로의 삶을 감당해 나가는 줄거리를 가졌다면, 박덕규의 소녀는 우주의 다른 별에서 온 외계인이다. 기상천외한 상상력. 그러나 근래 SF 영화나 소설의 범람에 비추어 보면 그다지 새로운 일도 놀랄 일도 아니다. 시에도 심혼시가 있고 기교시가 있듯이, 이 기술문명의 소설적 이야기화가 그렇게 어려울 바도 없다. 이를 '기상천외'라 명명한 것은 서정적 감수성의 한 복판에 외계인을 가져다 두는 것이 그 이야기의 효과를 제대로 발양할 수 있겠는가라는 의문 때문이다.

나는 먼 별에서 살다 지구인으로 다시 태어났다. 내가 살던 별은 화려한 문명을 자랑하다 자연의 세계를 모두 잃어버렸다. 식물과 동물이 죽어갔다. 그러자 살아 있는 모든 것들이 새로운 생명을 이어가지 못하게 됐다. 별의 주인들도 종족을 이어가지 못하게 됐다. 별의 주인들은 새로 태어날 새 세계를 찾아내야 했다. 그들은 우주 곳곳으로 탐사선을 보냈다. 나는 그런 탐사단의 일원이었고, 내 탐사 구역은 지구였다. 다른 지역으로 탐사 나간 대원들이 속속 절망적인 소식을 전해오는 동안 나는 응축된 유 전자로 사람의 몸에서 다시 태어났다.

외계의 생명체로서 사람의 몸으로 태어난 '나'는 설레고 외롭고, 그리고 사랑을 느끼는 지구의 어린 소녀가 되었다. '나'는 지구에서 어른으로 살아남아야 했지만, 몸이 그렇지 않았다. 소년과 함께 산을 내려오다가 소나기를 만나고 온 몸에서 열이 나고 결국 임무를 다하지 못하는 것으로 되었다. '나'를 우주로 데려가려는 '큰 새'에게 할 수 있는 마지막 말은, 얼룩이 묻은 분홍 스웨터를 가져가겠다는 것이다. 상황 논리에 따른 여러 논의가 남아 있지만, 시각의 새로움이 돋보이는 작품이다.

고은별의 「어떤 소나기」는 서두에서 언급한 바와 같이 '소나기 속편쓰기 공모전'에서 일반부 대상을 받은 작품이다. 이 작품은 원작의 순정한 서정성을 그대로 이어받고 있어서 아주 자연스럽게 그 연장의 이야기로 수긍된다. 소년은 성장해서 한 가정의 가장이 되고 한 여자의 남편이자 한 아이, 그리고 또 한 태중 아이의 아버지가 되었다. 화자는 이 가장 소년을 서술하는 그의 아내. 시점의 구분으로는 1인칭 관찰자 소설이다.

가장에 대한 아내의 호칭은 '당신.' 그 당신은 스무 살에 상경하여 되는 대로 일을 하다가 군대를 다녀오고 다시 조금 더 안정적인 일을 하다가 '나'를 만났다. 당신은 맑은 날에도 우산을 가지고 다니는 버릇이 있다. 그리고 남편으로서도 아빠로서도 좋은 사람이며, 특히 아이가 아픈 데에 예민하다. 화자인 '나'가 아는 당신의 고향은 개울과 징검다리가 있는 곳이다. 이 모든 이야기의 서술 및 묘사는, 원작의 이야기와 풍광에 오버랩 되어 있다. 그 원작의 고운 결을 잘 살려 성년이 된 소년을 설득력 있게 조명한 작품이다.

황효림의 「여우비」는 앞의 소설과 마찬가지로 공모전에서 발굴한 작품인데, 고등부 대상을 받았다. 이 소설의 소년도 청년이 되었다. 청년은 집을 떠나 공부를 하고 취직을 하고, 오랜만에 고향집에 왔다. 그리고 그 개울이다. 개울의 징검다리 가운데를 한 여자아이가 차지하고 앉아 있는 것이다. 여자아이는 청년을 '이 바보야'라고 힐난한다. 지난날 소녀의 환상이 아니다. 그 마을에 살고, '서울서 온 여주댁 손주'인 소년을 좋아하는 실제의 소녀다. 우리의 소년이 청년으로 성장한 때에, 마을에서는 한 어린 시골 소녀가 서울 소년에 대한 생각을 가슴 속에 가꾸고 있는 형국이다.

이 소설의 들판도 산길도 옛 「소나기」의 그것과 꼭 같이 닮아 있다. 소나기도 그렇다. 이번에는 소나기를 맞은 청년이 꼬박 이틀을 앓는다. 청년은 옛 소녀의 이름을 알지 못했던 것처럼, 이번 소녀의 이름도 알지 못한다. 그런데 이번 소녀는 병원에 간 서울 소년이 돌아오기 전에, 몇 년 전에 돈 벌러 갔던 엄마를 따라 떠나야 할 상황이다. 모양새는 여러모로 바뀌었으나, 청년이 여전히 소녀와의 추억을 간직하고 있는 것처럼 이들 새 소년 소녀의 추억도 그렇게 이어질 것이다. 원래 작품의 인물과 환경을 그대로 이어받아 새롭게, 잘 구성한 속편의 이야기다.

4.

　황순원이 일생 동안 이룬 문학의 집적은 시 104편, 단편 104편, 중편 1편, 장편 7편에 이른다. 「소나기」는 그 가운데서 미소微小하다면 미소하다. 거기다가 지금껏 살펴본, 「소나기」 속편 11편의 분량은 대체로 200자 원고지 30매 내외이다. 꽁트나 엽편소설의 분량이다. 그런데 각기의 작품에는 참 다양하고 많은 서정적 이야기들이 숨어 있다. 저 옛날 서당골 마을의 소년 소녀가 나눈 맑고 여리고 감동적인 첫사랑 이야기를 재치 있고 기발하게, 그리고 아름답고 여운 있게 패러디하여 형상화 한 수작들이다.
　한 작가의 문학을 오마주 하고 한 이름 있는 작품을 이어 쓰는 것이, 이토록 영롱한 문양으로 아로새겨질 줄을 기획자인 필자도 몰랐던 터이다. 이렇게 작고 소박하지만 소중하고 감성적인 집체적 글쓰기는 실로 순수한 동심의 세계를 곱게 연장한 범례가 될 듯하다. 그러한 글쓰기가 공통적으로 가능한 자리에 그에 합당한 사유가 없을 리 없다. 여기에 수록된 작품들은 대체로 소녀의 죽음 이후 소년의 성장사를 따라 가고 있는데, 그 삶의 변화 가운데서 끝까지 변하지 않는 지고한 가치가 올곧게 남아 있기 때문이다. 소년이 감각하고 인식한 소녀가 그렇고 그 배경으로서의 고향도 그렇다.
　여기에서의 '소년' 들은 공히 내성적 성품의 소유자이지만, 과거 짧은 한 시기의 절박한 마음을 끝까지 붙들고 있는 가치지향적인 인물로 그려지고 있다. 우리가 사는 세상에 그런 인물들이 많아진다면, 세상이 한결 아름다워지지 않을까. 소설 속의 그 청량하고 경쾌한 개울물처럼. 이 보편적인 통념에 속편쓰기에 참여한 작가들의 생각이 동류를 이루었다. 이 뜻 있고 보람 있는 새 문학 세계를 기획한 소나기마을에서는 이 책을 읽는 사람들, 그리고 마을을 찾아오는 사람들이 그 시간만이라도 세상의 짐을 내려놓고 동심의 순수로 돌아갈 수 있기를 소망한다. 그리하여 누구나

새로운 의욕을 충전하고 창의적인 기력을 섭생할 수 있기를 기대한다. 그
것은 또한 그 모든 일이 시도될 수 있도록 원작의 세계를 구성한 작가 황
순원에게, 우리가 공여하는 경외감의 다른 표현이기도 하다. 이야기의 전
설 「소나기」가 여전히 지금 여기의 소설이듯, 작가 또한 여전히 그의 작
품들과 더불어 우리 곁에 있다. 여기 이 11편의 속편이 그 구체적인 증빙
이다.

II. 지속성과 완결성의 인간학

이 가을, 황순원 선생이 그립다

일제로부터의 해방과 나라의 분단은 동시에 일어난 사건이었다. 곧바로 삼팔선이 막혔다. 안개 낀 임진강을 건너 월남하는 사람들은 감시병의 눈을 속여야 했다. 발각되면 생명을 내놓아야 하는 상황. 배를 빌려 도강하는 중에 긴장된 배 안에서 별안간 갓난애의 울음소리가 솟았다. 모두 어찌할 바를 몰라 하는 가운데 그 소리가 사라졌다. 애 어머니가 갓난애를 배 밖으로 내던져 버린 것이다. 일행은 무사히 강을 건넜다. 그런데 그 어머니는 제 손으로 퉁퉁 불은 양쪽 젖꼭지를 가위로 잘라버렸다.

소설가 황순원이 1965년에 쓴 단편 「어머니가 있는 유월의 대화」에 나오는 한 장면이다. 참으로 많은 생각을 불러오는 대목이다. 엄중하기 이를 데 없는 공중公衆에 대한 책임과 혈육을 버린 처절한 참회 사이에서, 그 어머니가 선택한 것은 극단적인 자기 징벌이었다. 매우 절제되고 상징적인 방식으로, 작가는 '어머니'란 이름의 인간을 조명했다. 문학에 있어서 '인간'은 어쩌면 가장 오래고 또 오래 이어질 숙제다. 황순원 소설은 시종일관 이 인간애와 인간중심주의를 붙들고 있었다.

6.25동란의 휴전협정이 조인된 것은 1953년 7월이다. 그런데 황순원은 아직 전란의 포성이 요란하던 그 해 4월, 맑고 순수하기 비길 데 없는 단편 「소나기」와 「학」을 발표했다. 「학」은 전쟁 시기에 적이 되어 만난 두 친구의 우정과 동심을 다룬 것이니 그래도 당대의 현실을 반영한 소설이다. 그러나 「소나기」는 차마 사랑이라는 이름으로 부르기에 조심스러운, 소년과 소녀의 미묘하고 아름다운 감정적 교류를 그렸다. 어떻게 그처럼 삶의 형편이 곤궁하고 혹독하던 시절에, 그처럼 순정한 감성을 담은 소설을 쓸 수 있었을까.

　작가와 그의 문학세계, 그리고 수발秀拔한 작품 「소나기」를 형상화 한 문학 테마파크가 경기도 양평에 있다. 국내에서 가장 많은 유료 입장객이 찾아가는 황순원문학촌 소나기마을이다. 산자수명山紫水明한 이 고장의 한 산허리에 3층 건물 8백 평의 문학관이 서 있고, 1만 4천 평의 야산에 문학공원과 산책로가 조성되었다. 아직 잔서殘暑가 남아 햇볕이 따가운 초가을 한나절을 이 마을에 머물다 보면, 작가가 남긴 문학의 향훈과 그를 기리는 추모의 뜻이 서로 상승작용을 일으키는 현장임을 알게 된다. 이 시너지 효과의 바탕에는 20세기 격동기의 한국문학에 순수와 절제의 극極을 이룬, 작가에 대한 미더움이 깔려 있다.

　소나기마을 관람자들이 아무 이유 없이 늘어날 리 없다. 작가와 작품의 명성 외에도 수도권 근접성이라는 요인이 있지만, 더 중요하게는 전시자의 관점이 아니라 방문자의 눈높이에 맞춘 콘텐츠 때문으로 보인다. 작가와 작품의 공간을 유기적으로 매설하고 조형과 영상을 활용하여 입체적인 전시실을 구성하는 한편, 동반한 어른과 아이들이 작품의 내면을 함께 체험할 수 있는 여러 구조가 있다. 애니메이션 영상실, 북 카페, 인공 소나기도 그렇고 동화구연이나 손편지쓰기 교실도 인기 높은 프로그램이다. 이 모든 시설과 콘텐츠 확보에는 지자체의 선진적 인식을 실천한 양평군의 공이 크다.

2015년은 황순원 선생 탄생 백주년이었다. 소나기마을에서는 이를 기념하여 첫사랑 콘서트, 「소나기」 속편 쓰기를 비롯한 여러 행사를 진행했다. 해마다 선생이 타계한 9월 14일을 전후해서 3일 간 황순원문학제가 열려, 소나기마을은 전국에서 몰려온 인파로 붐빈다. 문학관 바로 곁에 영면하고 있는 선생은 이 모습을 보고 무슨 생각을 했을까. 평소 외형의 치장과 번잡을 싫어했던 성품이나, 완연한 가을 풍광 속에 맑은 마음으로 모인 사람들을 바라보면서 인본주의를 글쓰기의 척도로 삼았던 자신의 선택을 다시 수긍하지 않을까.

황순원과 황석영의 때늦은 만남

2015년 3월 6일, 경기도 양평에 있는 황순원문학촌 소나기마을에서는 매우 특이한 문학 행사가 있었다. '한국 현대 명단편 101선' 의 출간을 마친 작가 황석영이, 독자들과 만나는 공간을 발걸음 쉬운 서울로 하지 않고 그 문학관으로 한 것이다. 작가와 출판사 관계자, 언론사 기자 몇 사람, 그리고 50여 명의 애독자들이 고즈넉한 숲 속의 문학마을과 전시실을 둘러보고 강당에 모여 강연과 대담을 진행했다. 대담자는 문학평론가 신수정이었다.

작가와 대담자는 현대소설 명단편 101편을 선정한 기준에 대해 공들여 설명했다. 그 중에서도 특이한 점은, 이광수와 김동인을 건너뛰어 염상섭에서 시작한 것이었다. 기실 이는 문학사적 계보를 따지는 일에 있어 하나의 혁명에 해당한다. 개화세대의 시발에 현대소설의 중점을 두지 아니하고, 근대의식의 구체적 발아와 3 · 1운동을 전후한 문학과 현실의 직접적 상관의 계기를 주목했다. 이러한 관점의 이동은 이 작가의 세계관과 문학관을 표방하고 있으며, 동시에 자신의 오랜 실천적 행보를 반영한다.

작가는 이 작업을 두고 '시대의 미세한 속살'을 들추어 보는 일이라고 표현했다.

황석영이 가진 작가로서의 여러 장점 가운데 독자들과 만났을 때 단연 압권인 것은, 그 양자 사이를 강고하게 가로막을 수 있는 유리벽을 아주 손쉽게 허문다는 사실이다. 등짐 지게를 지는 막일꾼과도 땅바닥에 주저앉아 손을 마주잡고 얘기할 수 있고, 김일성을 만나서도 다리를 꼬고 앉아 농담을 던질 수 있는 작가가 한국에 또 있을 것 같지는 않다. 그런 연유로 그 대담의 자리는 시종일관 화기애애하고 수준 있는 말들이 오고가는 보기 드문 시간으로 채워졌다. 염상섭에서부터 젊은 작가 김애란에 이르기까지, 시대와 작품의 흐름을 조합한 선별의 안목이 작가의 독서체험과 결부되어 있어서 '황석영 표'라는 명호를 붙일 만했다.

황석영은 1962년 단편 「입석부근」으로 한국의 지성을 대표하던 잡지 《사상계》를 통해 등단했다. 문단에 놀라운 천재가 등장했다는 것이 심사 위원들의 소감이었다. 40대의 중후한 남자일 것으로 여겨졌던 수상자는, 놀랍게도 18세의 고등학교 3학년 나이였다. 1970년대 중반에서 1980년대 중반을 가로지르며 불후의 역작으로 기록된 대하장편 『장길산』의 작가 황석영은 이렇게 요란한 방식으로 문단에 나왔다. 그런데 그 심사·추천 위원이 지금 양평의 문학관에 잠들어 있는 황순원 작가였다. 그날 황석영은 스스로 황순원 선생의 문단 제자임을 밝히면서, 그동안 겨를이 없었으나 이제부터 그 제자로서의 도리를 다하겠다고 공언했다.

1915년 평남 대동에서 출생하여 일제 강점기를 거치면서 20세기 격동기에 순수와 절제의 미학을 보여준 작가 황순원. 그로부터 28년 후인 1943년 만주 장춘에서 출생하여 현대사의 험난한 파고를 딛고 당대의 문필로 성장한 작가 황석영. 이들은 이렇게 황순원의 탄생 100년인 해의 초봄 소나기마을에서 다시 만났다. 앞선 시대와 지금의 시대를 각각 대표하는 두 황 작가의 만남을 바라보는 눈에는 깊은 감회가 서리지 않을 수 없었다. 이것이 인연이며 이것이 세월이로구나. 생전 황순원 선생의 언표처럼, 두 작가에게 모두 어떻게 죽을 것이냐 하는 문제는 곧 평소에 어떻게 작품을 쓸 것이냐 하는 문제와 같았다.

황석영은 앞으로 근·현대사를 담은 '철도원 3대'의 이야기로 작품을 쓸 것이라 했다. 필자는 황순원의 빼어난 단편 「독짓는 늙은이」를 생각하며 때늦게 만난 두 황 작가를 항아리에 비유했다. 일생을 문학적 완전주의로 일관하여 흠이 없는 항아리 황순원. 거기에 자신이 살아온 시대와 삶의 모습을 담아내며 올곧은 문학과 작가정신의 진수를 보였다. 분단과 압제의 격랑을 감당하느라 조금 금이 간 항아리 황석영. 그러나 그 금간 사이로 흘러내린 물이 황무한 땅에 이름 모를 풀꽃들을 값있고 풍성하게 키워냈다. 이 서로 다른 큰 그릇들의 귀한 만남은 그냥 곁에서 보기에도 참 좋았다.

삼가기를 처음과 같이

1415년 조선 태종 15년에 출생하여 1487년 성종 18년에 사망하였으니 70여년을 살았다. 자를 자준子濬이라 하고 호를 구정鷗亭이라 했으며, 문신으로서 나중에 그 시호를 충성공忠成公이라 했다. 본관은 청주. 성종비 공혜왕후의 아버지. 이 정도이면 이것이 누구의 이력인지 알 만하다.

좀더 설명해 보자. 수양대군에 협력하여 좌익공신 1등이 되었으며, 사육신의 단종 복위운동을 좌절시키고 그들의 주살에 적극 가담했다. 1963년 좌의정을 거쳐 1966년 일인지하 만인지상의 영의정이 되었으며, 1967년 이시애의 난 때 반역혐의로 체포되었다가 석방. 남이의 옥사를 다스린 공로로 익대공신 1등이 되었다. 사후 연산군 대에 이르러 윤비의 사사 사건에 관련되었다 하여 부관참시되었는데, 후에 복권되었다. 그는 누구인가?

두말할 것도 없이 세조가 '나의 장자방'이라 호명하던 한명회韓明澮이다. 10여년 전까지만 해도 한명회는 역사에 그 이름이 교활한 간신의 표본인 양 전시되고 있었다. "세勢는 시時에 따라 변하고 속俗은 세에 따라 바뀐다"는 옛말이 있거니와, 지금에 와서 한명회에 대한 세간의 인식은 현저히 달라졌다.

그에 대한 재평가의 기치를 처음으로 거양한 이는 드라마 작가 신봉승 씨다. 이분이 필자의 동문 선배요 또 대학원을 함께 다닌 인연이 있어 저간의 사정을 익히 알고 있는데, '조선왕조오백년'이란 대하사극을 통하여 그를 난세의 경륜가로 새롭게 형상화했던 것이다. 뿐만 아니라 태종과 세조, 정인지와 신숙주 등도 당대적 현실을 배경으로 납득할 수 있는 현실주의 정치가로 그려내었다. 이는 마치 현대 물질문명의 사회에 있어서 흥부만 착하고 놀부만 나쁘다고 할 수 없다는 발상의 전환과 같이 가히 상전벽해桑田碧海라 할 만한 관점의 변화에 해당한다.

그 한명회가, 천하가 자기 손 안에 있다고 생각할 만큼 제세의 안목과 기량이 남달랐던 한명회가, 이윽고 와병 중에 운명을 맞게 되었다. 명철한 임금 성종은 그 자리로 사람을 보내어, 그의 마지막 충고를 수거해 오도록 했다. 한명회는 그 엄중한 순간에 다음과 같은 의미심장한 말을 남겼다.

"삼가고 조심하기를 처음과 같이 하십시오."

그의 생애와 행적에 대한 평가는 역사를 재는 잣대에 따라 각기 다르게 나타날 수 있다. 그러나 그가 남긴 이 최후 진술은 오랜 세월의 풍화작용에도 침식되지 아니하는 명언으로서, 미상불 한명회가 남길 만한 몸가짐과 마음가짐의 경계라 할 터이다.

2003년 경기도 양평군과 경희대학교가 자매결연을 맺고 '황순원문학촌·소나기마을 건립추진위원회'를 구성한 다음, 이 사업을 공동으로 추진하기로 했다. 일제 말기에서부터 오늘에 이르기까지 순수문학을 지킨 거목이요 작가의 인품이 작품 속에 투영된 작가정신의 사표師表 황순원 선생이 필자의 은사恩師인 까닭으로, 필자는 이 일의 실무 책임을 맡아 일했다.

맑고 아름다운 서정과 순수하기 이를 데 없는 감정의 교류를 한 폭의 수채화처럼 펼쳐놓은 「소나기」는, 그 작품으로서의 특성과 독자들의 사랑이 깊은 사정을 감안하여 문단 일각에서 '국민단편'이라고까지 부르고 있다. 처음에 계획했던 '소나기마을'은, 소설 속의 풍경, 이를테면 소년과 소녀가 만나던 개울과 원두막, 갈밭이 펼쳐진 산자락 등을 재현하여 그 마을을 한바퀴 돌아나오면 마치 소설 속을 산책하고 나온 느낌이 드는 테마파크로 꾸미고자 했다.

뿐만 아니라 그 마을에 연이어 작가 황순원의 일생을 보여주는 전시관과 작품을 동영상으로 볼 수 있는 상영관, 세미나실, 야외공연장, 작가나 시인이 머물며 창작 집필을 할 수 있는 작가실 등을 계획했다. 그리고 그 처음의 계획은 거의 그대로 이루어졌고, 다시 새로운 콘텐츠들을 보강하고 채워나가는 중에 있다.

이 일과 관련하여 필자에게 절실한 감회 하나는, 우리 문학에 의미 깊고 독특하고 돌올한 봉우리를 이룩한 그 분의 삶과 문학이, 문학에 대한 처음의 그 순수한 열정을 끝까지 변절함 없이 지킨 결과였다는 사실이었다.

이 범박하면서도 소중한 초발심初發心의 교훈은, 세상의 저잣거리에서 이모양 저모양으로 사람들과 부딪치며 살아가는 우리들에게도 꼭 같이 요긴한 덕목이 아니겠는가. 아서라! 우리 모두 정녕 삼가고 조심하기를 처음과 같이 할 일이다.

백년의 사랑

"사람이 어떻게 죽을 것이냐 하는 문제는 곧 어떻게 살 것이냐 하는 문제와 같다." 지금으로부터 17년 전, 2,000년 9월에 유명幽明을 달리한 필자의 스승 황순원 선생께서 생전에 자주 하시던 말씀이다. 죽음의 순간은 그 사람이 살아온 인생 전체를 반영한다. 다가올 죽음을 걱정하기 보다는 남아 있는 삶의 나날에 정성을 다하는 것이 오히려 두려움을 넘어서는 길이 된다는 뜻이다. 생전의 언표를 실천하듯 「탈」 이후 황순원의 후기 단편들은 죽음이라는 주제를 치열하게 탐색한다.

말년의 선생께서는 이 땅에서 수壽를 다하고 세상을 하직할 때, 가족이나 주위에 폐 끼치지 않고 갈 수 있도록 기도한다고 여러 차례 강조했다. 평생을 해로한 부인 양정길楊正吉 여사와 함께 서울 사당동에서 살 때, 두 분의 모습은 한 쌍의 단정학丹頂鶴처럼 고고했다. 단정학은 황순원의 수발秀拔한 단편 「학」에 나온다. 20세기의 끝자락인 1990년대 말, 두 분은 매일 근처의 삼일공원을 산책하고 서로를 위해 기도한 후 잠자리에 드셨다. 어느 하루, 그렇게 편안하게 주무신 선생께서는 그 모습 그대로 정갈하게 천국으로 가셨다.

생전의 선생께서는 아내의 보살핌이 없었더라면 자신의 문학이 가능하지 않았을 것이라고 술회했다. 아울러 그 절반은 아내의 몫이라고 선언하듯 말했다. 데뷔작으로 일컬어지는 시 「나의 꿈」 이후 시 104편, 단편 104편, 중편 1편, 장편 7편에 이르는 황순원 문학의 집적 뒤에는 그와 같은 뒷받침이 숨어 있었다. 두 분은 1915년 생 동갑이다. 방년 20세가 되던 1935년 1월, 숭실중학을 졸업하고 일본 와세다 제2고등원으로 유학한 선생과, 나고야 금성여자전문의 학생이던 부인은 일생의 반려자로 출발했다.

평안남도 숙천에서 과수원을 경영하며 만주 봉천에 사과를 수출하기도 한 양석렬楊錫烈의 장녀인 신부는, 평양 숭의여학교를 다닐 때 문예반장을 지냈고 선생과는 이때부터 교제가 있었던 것으로 알려져 있다. 당시로서는 보기 드물게, 문학적 재능과 소양을 가진 이들의 연애결혼이었다. 미상불 선생의 문학은 신앙심이 깊고 활달하며 무엇보다 문학에 대한 조예를 갖춘 부인의 조력을 비길 데 없는 원군으로 얻게 되었던 셈이다. 그 부인은 말년의 선생에게 늘 "이제 천국을 소유하셨다"고 축복했다.

선생께서 먼저 떠나신지 14년이 되던 2014년 9월 5일, 마침내 그 부인도 그렇게 그리워하던 남편이 있는 곳으로 갔다. 향년 99세다. 돌이켜 보면 참으로 장구한 세월이었다. 월남 실향민의 가족으로 남한에서 자리 잡고 사는 일, 전란의 포화를 피해 부산에서 피난살이를 할 때의 곤고함, 3남 1녀의 세 자녀를 키우고 그 사회적 성취를 북돋운 수고, 신앙인으로서 보이지 않는 곳의 어려운 이들을 도우며 산 100년의 인생이 거기 있었다. 때로는 "소설가 황순원의 부인으로 사는 것이 그렇게 쉬운 일이 아니었다"는 고백도 있었다.

두 분이 함께 한 세월 65년, 먼저 간 선생을 기리며 산 세월 14년은 이제 시대사의 갈피 속으로 묻혀질 것이지만, 한 시대의 징검다리를 함께 건너온 두 분의 이야기는 많은 이들에게 '백년의 사랑'으로 남아 있다. 지금도 필자는 사당동 아파트 앞길과 가끔 모시고 다니던 양평 소나기마을의 들녘이 눈앞에 떠오른다. 그 음성도 들린다. "김 교수, 미운 사람 떡 하나 더 주어라. 내가 김 교수에게 소나기마을을 맡긴 것은⋯." 어느덧 작가 황순원과 그 부인을 함께 모시고 많은 사람들에게 동심의 순수성과 마음의 안식을 회복하게 하려는 소나기마을은 필자에게 소중한 사명이 되었다.

두 분 묘역에는 다음과 같은 묘비명이 새겨 있다. "20세기 격동기의 한국문학에 순수와 절제의 극을 이룬 작가 황순원 선생(1915-2000), 일생을 아름답게 내조한 부인 양정길 여사(1915-2014), 여기 소나기마을에 함께 잠들다." 초가을의 싱그러운 햇살과 삽상한 바람결 속에, 방문객들의 발걸음이 분주한 가운데 다시 함께 자리한 두 분의 대화가 사뭇 궁금하다.

Ⅲ. 동심회복의 고향마을 재현

문학 작품과 문학 테마파크

— 소나기마을은 왜, 어떻게 조성 되었나

1. 황순원문학촌-양평 소나기마을 조성

가. 소나기마을 조성 사유 및 타당성

단편소설 「소나기」에 묘사된 마을은 경기 북부 지방의 전형적 시골 풍경을 보여주고 있다.

소년은 갈림길에서 아래쪽으로 가 보았다. 갈밭머리에서 바라보는 서당골 마을은 쪽빛 하늘 아래 한결 가까워 보였다.
어른들의 말이, 내일 소녀네가 양평읍으로 이사간다는 것이었다. 거기 가서는 조그마한 가겟방을 보게 되리라는 것이었다.

— 「소나기」 부분

「소나기」는 윤초시네 증손녀인 소녀와 농부의 아들인 소년이 며칠 동안 맺은 설익은 '사랑'의 인연을, 주로 소년의 시각을 통해 묘사하고 있다. 인용문은 윤초시의 손자인 소녀의 아버지가 서울에서 사업에 실패하고 고향에 와 있다가 이번에는 고향집마저 내놓게 되어, 양평읍으로 이사를 가게 된 사정을 그리고 있다.

그렇다면 소년과 소녀가 만남을 이어온 개울이 있는 그곳은 어느 지방일까라는 질문, 곧 「소나기」의 작중 무대 문제는, 이 인용문 속에서 저절로 풀린다. 물론 그 답을 지나치게 서둘러 구할 필요는 없다. 다만 문학 작품에 대한 애정으로 차분하게 궁구해보는 것이 좋을 것으로 생각된다.

우선은 작중에서 "소녀네가 양평읍으로 이사간다"라고 표현되어 있음을 주목할 필요가 있다. 만약에 행정구역 상 양평과는 다른 도시에서 양평군으로 이사한다면 "양평읍으로 이사간다"라는 표현보다 "양평으로 이사간다" 또는 "양평군으로 이사간다"라는 표현을 써야 더 실재감이 느껴질 것으로 보인다. 그런 점에서 "양평읍으로 이사간다"라는 표현은 같은 양평군 내의 어느 면 어느 리에서 양평읍으로 이사를 가는 것을 뜻한다고 보는 것이 유력하다. (이 주장은 소나기마을 조성을 위한 학술세미나에서 박덕규 교수가 개진한 바 있다.)

「소나기」의 작가 황순원은 23년 6개월 동안 경희대학교 국어국문학과 교수로 재직하면서 동료 교수 및 학생들과 더불어 서울 근교, 특히 양평군 일원으로, 농촌을 배경으로 한 작품 소재 취재, 단기 여행, 야유회, 답사, 학생인솔 MT, 낚시 등을 자주 다녔다. 단편소설 「나무와 돌, 그리고」와 같이 양평 군내 용문산 은행나무를 직접적인 소재로 한 작품도 있고, 또 농촌이 배경인 작품의 경우에는 여럿이 양평군의 자연 경관과 환경을 유추할 수 있는 모양새를 갖추고 있다.

또한 양평군과 황순원의 교육 및 창작의 근거지였던 경희대와의 관계를 살펴보면 양평에서 가장 가까운 종합대학이 경희대이며 양 기관의 자매결연(2003. 6. 2)으로 의료, 교육, 예술 공연, 약초재배 등 다각적인 공동 사업의 추진하기도 했다. 황순원은 경희대에 재직하면서 이름 있는 많은 문인 제자를 배출하였다. 재직 중 104편의 단편 중 3분의 2와 7편의 장편 중 4편을 집필하였다. 정년퇴임 후에도 명예교수로 위촉되어, 경희대 문학 담당 교수의 상징적 인사로 남아 있었다.

작가로서의 황순원은 작품과 인품 모두에 있어 작가정신의 사표로 지칭되는, 우리 문학사에 보기 드문 경우이며 「소나기」, 「학」 등 여러 작품이 교과서에 수록되어 범국민적 존경과 사랑을 받아 온 작가다. 「소나기」는 '국민단편'으로 불린다. 그런 까닭으로 한 작가와 작품을 대학과 지방자치체가 공동으로 기리고 문화적 상징으로 계발하는 데 있어 사회적 거부감이 전혀 없었던 모범 사례에 해당한다고 할 수 있다.

문학작품의 사회사적 수용에 관한 실증적 논리를 잠시 한쪽으로 젖혀 두고 황순원과 양평군의 상징적 상관성을 생각해 보면 다음과 같은 흥미로운 요소들을 발굴할 수도 있다. 황순원이 수학하고 젊은 시절을 보낸 평양의 두 음절을 거꾸로 읽으면 양평이 된다. 부인 양정길 여사의 성씨楊와 양평의 첫 글자楊가 같다. 또한 양평군의 전신인 양근楊根군과 지평砥平군의 어의가 작가 황순원의 인품 및 작품 세계의 성격적 특성과 여실히 부합한다. 곧 부드러운 버드나무의 굳센 뿌리나 숫돌과 같은 공평성은 작가의 온화하면서도 엄정한 정신세계를 표상하는 측면이 있다.

소나기마을 조성에 임한 양평군의 입장에 있어서는, 「소나기」를 테마로 하는 문화관광지로 개발함으로써 군의 문화적 위상을 범국민적 차원으로 홍보하고, 완공 이후 20년을 내다볼 때 연간 500만 명 이상의 방문객을 유치하며 궁극적으로 이러한 사업이 군민의 소득증대에 기여할 수 있도록 추진한다는 목표를 세울 만하다.

봉평 이효석문학촌의 경우 연간 200만 명에 달하는 방문객과 100억 원에 가까운 부가가치를 발생시키는 것으로 알려져 있으며, 이에 비해 양평은 수도권과의 인접성으로 인한 동선의 확보나 황순원 및 「소나기」가 갖는 명성에 비추어 볼 때 충분히 소기의 목표를 달성할 수 있을 것으로 사료된다. 실제로 이효석문학관이 15년이 걸려 유료 방문객 8~9만 명에 이른 데 비하면, 소나기마을은 개장 8년이 된 2017년 13만 명에 가까이 이르렀다.

한편 이 사업을 공동으로 추진해 온 경희대의 입장에 있어서는, 역대 재직 문인 교수 중 가장 상징적 인물인 황순원과 그의 「소나기」를 통한 테마파크 조성에 주체적으로 참여함으로써 대학의 위상을 크게 신장할 수 있고 대학의 교육, 연구, 봉사 등 세 기능 가운데 지역사회 봉사를 통해 사회적 책임을 능동적으로 수행하는 성과에 이를 수 있다.

이러한 실질적 상징적 배경과 기대 효과에 따라 양평군과 경희대는 2003년 6월 2일 자매결연 협정을 맺고, 소나기마을 건립추진에 관한 약정과 소나기마을건립추진위원회 정관을 확정하였으며 공동으로 이 사업을 추진해 왔다.

이처럼 합리적이고 효율적인 산학협력을 통한 문화산업적 테마파크 개발의 범례가 된 소나기마을 추진 방침에 있어서는, 양평군 및 경희대가 유족의 의사를 바탕으로 범국민적인 기념사업으로 육성하기로 하고 양평군의 문화적 성숙과 지역사회 발전을 도모하여 전국적인 문화명소로 조성해 나가는 동시에, 황순원 문학의 성과를 국내외적으로 발양하고 이를 계승해 나간다는 목표를 세웠다.

조성사업의 추진은 양 기관과 유족대표가 참여한 '소나기마을건립추진위원회'가 주축이 되고, 양평군과 경희대가 이를 적극적으로 후원하는 것으로 했다. 또한 양평군의 문화예술인 및 전국적 명성이 있는 문화예술인을 고문 또는 자문위원으로 위촉하여 효율적인 의견을 구하는 동시에,

조성 지역의 주민 대표를 동참토록 하여 문화예술계와 지역 기층사회가 연합하는 명실상부한 '마을'이 되도록 계획했다. 조성사업에 소요되는 예산은 먼저 군비로 시작하되, 도 예산과 중앙정부의 예산을 지원받는 데 양평군과 경희대가 공동으로 노력하도록 했다.

소나기마을 추진 및 관리 방안에 있어서는 소설 「소나기」속의 자연적 배경을 현실적으로 살리는 방식으로 구성하되 소나기마을을 크게 두 형상으로 구분, 하나는 자연적 소나기마을을 재현하여 그 마을을 한 바퀴 돌면 마치 소설 작품 속을 한 바퀴 돌아나오는 듯한 느낌이 들도록 동선을 구성하고, 다른 하나는 아주 실용적인 문학관과 부대시설을 구비, 동영상 상영, 작가 유품 및 작품 전시, 세미나실, 작가실, 강당 역할을 겸한 실내공연장, 야외공연장 등을 조성하기로 했다.

특히 실내공연장은 주기적인 문학 · 문화 모임이나 유료 공연을 유치하되 동절기에도 이를 가능하도록 하여 지속적인 대외 홍보와 방문객 확보를 유도하며, 이 마을이 단순한 문화관광 방문지로 그치지 않고 전국의 초 · 중 · 고 학생, 대학생, 일반인에 이르기까지 생활 속의 뜻깊은 문화체험 공간으로 승화되어 지속적인 재방문이 이루어지도록 노력해 나가기로 했다. 특히 이 마을의 조성 후에는 '추진위원회'를 자동적으로 '운영위원회'로 전환하여 앞항의 내용을 발전시켜 나감으로써 전국적인 문화사업의 실행 공간이 될 수 있도록 관리해 나간다는 데 양 기관이 문서를 통해 합의했다.

나. 소나기마을 조성 규모 및 공간성

황순원의 「소나기」는 1953년 『신문학』에 발표된 뒤 중학교 교과서에 오랫동안 수록됨으로써 대다수의 우리 국민들이 그 작품 내용을 알고 있다. 특히 「소나기」는 황순원의 많은 소설 중 서울과 경기도 일대를 공간적 배경으로 하고 있는 작품의 하나로서 그 속에 양평읍이란 지명이 나온다는 측면에서 소나기마을 조성사업의 당위성을 입증하고 있다.

앞서 살펴본 바, 작품 속의 주인공 소녀가 양평읍으로 이사 간다는 말을 통해 알 수 있듯이 작품의 공간적 배경이 양평읍에 인접한 양평군의 한 지역 마을로 추정된다.(이와 같은 소나기마을의 공간성에 대한 다음의 논리 및 설명은, 소나기마을 조성을 위한 학술세미나에서 전상국 교수가 제시한 바 있다.)

작품의 중심 배경이 되는 개울과 산마루 풍경은 물론 개울의 징검다리도 50년대 우리나라 농촌 마을의 모습 그대로이다. 조약돌, 비단조개 등은 물론 갈꽃(갈대), 억새풀, 칡꽃, 들국화(개미취, 쑥부쟁이, 구절초, 산국), 싸리꽃, 마타리꽃, 도라지꽃 등 우리나라 중부지방 산골에서 자생하는 식물들만 해도 양평군이 소나기마을 조성 조건으로 최적지라고 생각된다. 논의 메뚜기, 참외와 무가 심어져 있는 밭의 원두막이 있는 풍경이나 수숫단과 허수아비가 세워져 있는 들판의 풍경은 현재 양평군 촌락 여러 곳에서 볼 수 있다.

소설 「소나기」 속의 마을은 개울이 마을 한가운데로 흐르고 윤초시네가 사는 서당골 마을이 올려다보이는 지형을 하고 있다. 서당골 앞 산마루에서 바라보면 "맞은편 골짜기에 오순도순 초가집이 몇 모여 있는" 매우 전형적인 농촌 마을, 이 정도면 가히 우리나라 사람들 모두가 그리워하고 있는 향토색 짙은 고향의 원형이라고 해도 좋을 것이다. 작가의 실제 고향을 우리 문학의 고향으로 회복할 수 없는 처지에 있는 소나기마을 추진 담당자들로서는 양평을, 특별히 양평이라는 지명을 뜻깊게 작중에 새긴 「소나기」를 앞세워 작가의 이름을 빛낼 공간 환경으로 삼았으면 했던 것이다.

이처럼 「소나기」의 무대가 되는 양평군은 남부에서 북서로 흐르는 남한강과 북부에서 남양주시와의 경계를 따라 남으로 흐르는 북한강이 양수리에서 합류하는 지점에 위치한 청정 수자원을 가진 지역이다. 무엇보다 서울에 가장 가까이 인접함으로써 문화관광지로서의 접근성에서 크게 각광을 받을 개연성이 있는 지역이라고 할 수 있다. 또한 북한강의 지류인 수입천, 문호천, 그리고 남한강의 지류인 흑천과 신내개울 유역에 약간의 평지가 펼쳐져 우리나라 전통 농가의 취락지는 물론 도시인들이 꿈꾸는 전원생활에도 적격지이다.

양평군은 경기도 동쪽 끝에 있는 군으로서 북쪽은 가평군과 강원도 홍천군, 서쪽은 북한강을 사이에 두고 남양주시와 광주시, 남쪽은 여주시, 동쪽은 강원도 횡성군과 원주시와 접한 1읍 11면으로 행정구분이 되어 있다. 양평읍은 용문면, 양동면, 청운면, 옥천면, 개군면, 양서면, 강상면, 강하면, 단월면, 지제면, 서종면에 둘러싸여 있으며 작품 속의 주인공 소년이 살고 있는 마을은 이들 11개 면 중의 하나로 생각해도 좋을 것이다.

교통망을 살펴보면 철로 중앙선이 양평군을 동서로 횡단하고 도로는 서울-강릉간 국도가 동해안의 양양, 주문진, 강릉과 연결되어 있다. 또한 여주-포천간 국도가 여주, 양평, 포천, 전곡, 파주 등을 연결하며 남양주시, 서울, 성남시, 이천시를 지나는 국도가 있어 교통이 편리하다. 수운은 서부 경계를 따라 북한강이 흐르고 남부에는 남한강이 지나고 있어 다른 지역에 비해 매우 발달된 입지조건을 보이고 있다.

양평군 관내의 문화공간으로는 바탕골예술관, 갤러리아지오, 용문갤러리, 드라이브인 양평극장, 양평미술관 등이 있고, 문화재는 보물 1점(용문사), 천연기념물 1점(용문산 은행나무, 수령 1,100년) 등 2점의 국가지정 문화재와 유형문화재 6점, 기념물 7점, 민속자료 2점, 문화재자료 6점 등 21점의 도지정 문화재가 있다.

소나기마을의 조성 외관과 규모에 있어서는 「소나기」의 배경과 흡사한

50년대 향토성 짙은 농촌 마을을 조성 대상으로 하고 공원 개념의 '소나기마을'이라 이름 붙일 수 있는 공간을 확보하는 것으로 했다. 그 내부에 황순원 문학기념관을 두고 유품 전시관, 자료 보관실, 세미나실, 동영상 관람실, 관리사무실 등을 마련하기로 했다. 공원 내에는 소설 「소나기」의 체험 학습 시설을 다각적으로 설비하기로 했다.

조성 적합지 검토의 결론이 될 양평군의 어떤 마을을 '소나기마을'로 선정할 것인가하는 문제는, 먼저 양평군의 새로운 문화 환경에 적합한 미래지향적인 촌락으로서 자연과 문학, 그리고 사람이 함께 어우러지기에 적합한 곳이어야 한다는 기본 원칙을 세우고 되도록 「소나기」에 묘사된 마을 풍경에 어울리는 아늑하고 아름다운 전형적인 농촌 풍경이어야 한다는 데 추진 담당자들의 의견이 일치했다.

그 당시의 계획 중에 아직 실행에 이르지 못한 것이 많이 남아 있지만 '계획'은 그야말로 다양하고 다채롭고 의욕적이었다. 마을 내에 소년이 소녀를 업고 건너던 개울이 마을 어느 곳엔가 있어야 하며, 소나기마을을 찾아오는 사람들이 그 개울에서 애인을 업고 건너든가 예쁜 조약돌 줍기 내기를 하는 등 작품 내용을 체험하며 즐기는 공간이 되어야 한다고 생각했다. 글로벌 커피 기업 스타벅스의 창업자들이 가졌던 인문적 상상력이 넘쳤고, 그것만으로도 행복한 시기였다.

또한 작품에 나오는 허수아비를 구경하거나, 무와 참외를 심을 수 있는 개울가의 밭에서 직접 참외를 가꾸고 따먹기, 원두막에서 휴식 취하기, 무공해 논에서 메뚜기 잡기, 호두나무 밭에서 호두 따기 등 농촌 생활을 체험하며 자연학습을 할 수 있는 공간이면 더욱 좋을 것이고, 마을에 인가가 십여 채 이상 있어 주민들이 소나기마을 시설물들을 직접 관리하거나 행사 때마다 함께 어울릴 수 있으면 더 바람직할 것으로 보았다.

이상과 같은 조성 규모 및 적합지의 공간성에 대한 논의를 좇아, 결과적으로 양평군 서종면 수능리를 '황순원문학촌 - 양평 소나기마을'의 조성지로 선정하고, 2006년 2월 기본 설계를 거쳐 2009년 6월 13일 개장하기에 이르렀다. 이 국내에 유례가 없는 테마파크는 뛰어난 문학작품이 그 서정적인 내용과 더불어 앞으로도 더욱 문화산업의 현장에 발전적으로 변용되는 하나의 수범을 보여줄 수 있게 될 것이다.

2. 문학 테마파크의 가능성과 향후 과제

문학 작품을 일러 인생의 지리책이라고 한다. 어느 곳에 험한 태산준령이 있으며 어느 곳에 아름다운 호수가 있고 어느 길을 택하는 것이 글 읽는 자신에게 가장 적합한가를 알려준다는 뜻이다. 그런데 이 고색창연한 레토릭은 정신 영역의 교훈을 의미하고, 상상력의 범주 안에서는 문학적 향유의 공간을 제한하는 폐단이 있다. 주지하다시피 오늘의 문화 및 문학 현장은 상전벽해의 변화를 겪고 있다. 활자매체 문자문화의 시대는 가고 전자매체 영상문화의 시대가 목전에 당도했다. 문학에 있어서도 실제로 눈으로 볼 수 있고 손으로 만질 수 있는 비주얼과 체험, 그 현장성이 강조된다.

문학테마파크는 바로 이러한 시대적 인식의 변화를 반영하는 동시에 문학이 '교사'로 군림하지 않고 '가수'로서 독자와 동일한 자리에 함께 서는 상호 소통 및 유연한 적용의 표본으로 기능한다. 이러한 문학적 시각의 확산에는 여러 차례 세대의 교체가 개재되어 있다. 그런가 하면 한 사람의 작가 또는 독자가 문학을 보는 자신의 관점을 바꾸는 데 그의 거의 전 생애가 소용되기도 한다. 예컨대 T.S 엘리엇이 1923년에 쓴 「비평의 기능」에서 비평의 역할을 두고 '작품의 해명과 취미의 교정'이라고 했다가, 그로부터 33년이 흐른 1956년 「비평의 한계」에서는 '문학에 대한 이해와 향유의 증진'이라고 한 것이 좋은 사례라 할 수 있다.

황순원문학촌 소나기마을은, 그런 측면에서 작가 황순원의 문학과 수
발秀拔한 단편 「소나기」를 기리는 데 머물지 않고 이 작가의 작품들이 동
시대 사람들의 실제적인 삶에 연계되며 세대를 넘어 새로운 독자들을 만
나는 문학 아카이브가 될 수 있기를 소망한다. 소나기마을을 국민적 문화
명소로 확장해 나가려는 노력은, 작가의 명성을 높이거나 관련자들의 명
예를 진작하려는 의도를 포함하지 않는다.

이제는 세상살이에 지친 그 옛날 「소나기」의 소년이나 소녀, 인생길의
고단한 걸음을 잠시 멈추고 스스로의 삶과 그 행로를 다시 살펴보기를 원
하는 사람들이, 누구나 찾아와 마음의 짐을 내려놓고 쉴 수 있는 휴식처
였으면 한다. 여기서는 누구나 잃었던 그리고 잊었던 동심과 순수성을 회
복하고 삶의 새 힘을 충전할 수 있는 계기를 얻을 수 있었으면 하는 것이
다.

일찍이 윌리엄 워즈워드가 그의 시 「내 가슴은 뛰누나」에서 '어린이는
어른의 아버지'라고 한 도전적 언표言表 속에는, 이러한 되돌아가기와 회
복하기의 의지 및 기력이 잠복해 있다. 기실 피터펜의 원드랜드는 동화 속
의 피터를 위한 것이 아니라, 그 동화를 읽는 아이와 어른 모두를 위한 것
이다. 그러한 사정에 비추어 볼 때 경기도 양평 지역에 소나기마을이 자리
하고 있다는 것은, 그 기획자나 운영자의 단계를 넘어 지역 주민, 특히 지
역의 문화 · 문학인들에게 매우 유의미한 현상이라 하지 않을 수 없다. 인
디언 속담에 이런 말이 있다. "빨리 가려거든 직선으로 가라. 멀리 가려거
든 곡선으로 가라. 혼자 가려거든 직선으로 가라. 함께 가려거든 곡선으로
가라. 외나무가 되려거든 혼자 서라. 푸른 숲이 되려거든 함께 서라."

이제 개장 8년을 넘긴, 그러면서도 국내 최대의 유료입장 방문객을 기
록하는 소나기마을은, 그것을 자랑으로 여기지 않고 방문객들과 함께 하
며 지역민들과 함께 하는 건강한 프로그램의 문화공간으로 전화轉化해야
한다. 눈앞의 현실에 안주하지 않고 다음의 꿈을 계획해야 한다. 흐르지

않는 물은 부패하고 변화하지 않는 생각은 고립되며 창의적인 내일을 준비하지 않는 오늘은 미더움을 얻기 어렵다.

그리고 그보다 더 중요하게는 이 문학 테마파크 건립의 초심初心을 잘 지켜야 한다는 사실이다. 한 작가에게서 한 작품에서 어떻게 출발했는가를 기억하고, 그 문학의 현장 구현에 진력한 사람들과 이를 수용한 지역사회가 어떤 수고와 협력으로 여기에 이르렀는가를 기억해야 한다. 미상불 이를 함께 일깨우고 앞날의 다짐을 새롭게 하는 것이 이 글을 쓰는 이유 중 하나이기도 하다.

가장 깊은 동심의 아름다움, 최대의 문학 공원

양평군 황순원문학촌 — 소나기마을

2009년 6월 13일, 한국문학사에 남을 뜻 깊은 문학마을이 문을 열었다. 경기도 양평군 서종면 수능리에 양평군과 경희대학교가 함께 조성하여, 전국적 명성을 가진 문화명소를 지향하며 출범의 돛을 올리는 '황순원문학촌—소나기마을'이 바로 그곳이다. 개장을 하기도 전에 미리 세워진 안내판을 보고 벌써부터 사람들이 밀려와서, 이분들을 설득하여 돌려 보내기가 바쁜 형편이니 국민적 관심과 호응을 미루어 짐작할만하다.

양평군과 경희대학교가 자매결연을 하고 그 기념사업으로 소나기마을을 건립하기로 한 것은 2003년 6월 2일. 그동안 어떤 개념으로 이 문학공원을 구성할 것인가에 대해 3년여의 치밀한 준비를 거쳐 시공의 첫 삽을 뜬 것은 2006년 12월이었고, 외부 공사를 만료한 것은 2009년 4월이었다. 그리고 내부 마무리를 마치고 6월 개장에 이르기까지는 무려 2년 6개월의 공사기간이 소요되었다. 대략 1백25억 원의 예산이 투여되었고 부지 47,640㎡, 건축연면적 2,305㎡, 건물 규모는 지상 3층이며 2만여 평에 달하는 일대의 야산을 문학 테마파크로 구성했다.

작가의 생애와 문학을 한 눈에 조망할 수 있는 모두 세 곳의 전시실과 옛 교실 모형의 영상실, 세미나실, 사무실, 휴게공간 등을 갖춘 문학관은, 국민단편 「소나기」의 수숫단 모양을 형상화 했고 공원 내 산자락을 누비며 산림 산책로가 마련되어 있다. 서울에서 30분 거리에 있는, 규모로서 국내 최대, 더 나아가 세계 최대의 문학마을이 되는 셈이다. 이 소나기마을이 단순히 작가 황순원 선생을 기리는 데 머물지 않고 국내외에 이름 있는 문화명소로 발전하여, 온 국민들의 동심을 추억하게 하고 정서를 어루만지며 마음의 쉼터가 될 수 있도록 해야 할 터이다.

문학관과 소나기마을을 천천히 둘러보는 데는 대략 2시간 정도의 시간이 소요되지 않을까 싶다. 마을을 말굽형으로 감싸안고 병풍처럼 둘러쳐진 주변의 산세가 싱그러운 신록의 향연에 넘쳐, 이보다 더 좋은 자연의 경관을 연출하기가 어려울 정도이다. 더욱이 왼편 언덕을 넘어 비탈진 산길 따라 개울을 건너도록 마련된 '목넘이고개'는, 작가의 향리였던 평남 대동군 재경면의 빙장리와 천서리를 연상케하는 매우 적절한 지형을 이루고 있다.

5일 근무에 토요일이 현장학습으로 바뀐 오늘날 자녀들의 학교생활에 비추어, 많은 학부모들이 어디로 가족 나들이를 할 것인가 고민하게 된다. 뿐만 아니라 그 자녀들이 무엇인가 뜻있는 체험을 통해 지적, 정서적 발전을 이루기를 원할 때, 소나기마을은 아주 적합한 방문 대상지가 아닐 수 없다. 그러기에 마을 내 곳곳에 황순원 선생의 작품 세계를 감각할 수 있는 체험 시설을 설비하고 이를 더욱 보강해 나갈 계획으로 있다. 또한 이 시설 및 산책로의 오솔길 등은 야간에도 개장이 가능하도록 조명시설을 설비해 두기도 했다.

문학관 옆 양지 바른 자리에, 황순원 선생의 유택이 있다. 일반적인 봉분 형태로 하지 않고 평묘에 가깝도록 조성하되, 그 주변을 잔디와 표지석으로 감싼 소박하고 품격있는 묘소이다. 원래 천안시 공원묘원에 있던 묘소를 2009년 3월 현장으로 이전하였고, 아직 정정하게 활동하고 계신 사모님 양정길 여사를 나중에 함께 모실 수 있도록 합장 형태를 유지했다. 이 유택의 비문은 다음과 같이 되어 있다.

20세기 격동기의 한국문학에
순수와 절제의 극極을 이룬 작가
황순원黃順元 선생 (1915—2000)
일생을 아름답게 내조한 부인
양정길楊正吉 여사 (1915—　　)
여기 소나기마을에 함께 잠들다

비문의 문안에서 확인할 수 있듯, 작가는 86년을 이 땅에 계셨고 그 부인은 동갑의 연세에 그때 95세셨다. 비문은 다른 분들의 의견을 들어 필자가 썼고 글씨는 강원대 명예교수인 서예가 황재국 교수의 작품이다. 작가는 문학으로 일가를 이룬 점에서도 존경받을 분이지만, 그 부인과 더불어 성공한 삶을 사셨던 분으로서도 그러하기에, 여기의 합장은 더욱 의미가 크다 하겠다.

소나기마을의 개장을 준비하면서 황순원 선생의 문학을 기리고 소나기 마을을 장기적 안목으로 발전시켜 나가기 위해, 황순원기념사업회가 구성되었다. 김선교 양평군수, 조인원 경희대 총장, 송필호 중앙일보 사장을 고문으로 하고 저명 문인 50여명을 자문위원으로 하여 회장 전상국, 부회장 김상하·김용성·박진숙·최동호, 운영위원 김병익·김수만·최상진·황동규, 감사 김용만·유재용, 집행위원 김종회·김강윤·김종혁·박덕규·이종승·홍정선 제씨가 각기 역할을 나누어 맡았다. 이 가운데 문인이 아닌 분들은 모두 양평군 관계자 또는 현지 주민을 대표한다.

황순원기념사업회는 소나기마을의 발전적 관리·운영에 적극 참여하는 한편, 매년 개최되는 황순원문학제, 문학강연회, 청소년문학캠프, 북카페와 소나기장터 운영, 프로포즈 이벤트 등의 여러 사업을 중·장기 계획과 함께 추진해 나가기로 했다. 특히 이 여러 사업이 성공적으로 정착되기 위해서는 인근 지역 주민들의 적극적인 참여와 협조가 절실하다.

6월 13일 개최된 개장식 행사에는 양평군과 경희대학교의 주요 인사들을 비롯, 도지사·국회의원과 한국문단의 주요 문인 등 많은 분들이 참석해 축하 분위기가 한껏 고양되었다. 이날 행사의 식전 공연에는 경희대학교 응원단·관악단·중창단과 다비치 등 대중가수 등이 등장하고 개장기념행사에 이어 문학관 테이프커팅과 함께 마을 전체의 개방이 이루어졌다.

그리고 그날 오전부터 1천여명의 초·중·고생들이 참여하는 제6회 황순원문학제가 같은 장소에서 열려 황순원 문학 관련 글쓰기와 그림그리기 대회가 있었다. 글쓰기의 최고상은 문화관광부 장관상이다. 또한 개장식 행사 중에 처음 실시된 제1회 양평 황순원문학상의 시상도 있었다. 이상은 창작상과 연구상 두 분야에 걸쳐 각각 2천만원의 상금이 주어진다.

장장 7년의 세월을 준비하여 드디어 문을 연 황순원문학촌—소나기마을. 처음엔 하나의 소략한 아이디어로 출발한 것이 이렇게 창대한 결과에 이르렀으니, 이 모두가 작가의 인품이 작품 속에 반영되어 작가정신의 사표로 불리었던 황순원 선생의 음덕이 아닌가 싶다. 새로운 아이디어, 새 단장으로 출발한 이 문화명소에서, 오래도록 순수하고 아름다운 문학의 세계를 함께 나누고 싶다.

소나기마을의 말없는 가르침

　한일월드컵대회로 온 나라가 '조국 체험'을 새로이 한 2002년 겨울, 그러니까 지금으로부터 15년 전의 일이다. 일단의 문인들이 송년 모임으로 인사동 한 음식점에 모여 앉아 있었다. 좌중에서 누군가가 내 스승이신 황순원 작가의 단편 「소나기」가 경기도 양평을 무대로 한 것이 맞느냐고 물었다. 대학과 대학원 시절 내내 오랜 제자이며 황순원 문학 연구자이기도 한 나는 그 답을 잘 몰랐다.

　그날 자리를 파하고 집으로 돌아와 황순원전집 3권 『학/잃어버린 사람들』을 꺼내어 들고 「소나기」의 공간 환경을 찾았다. 거기 딱 한 줄, 이런 기록이 있었다. "어른들의 말이, 내일 소녀네가 양평읍으로 이사간다는 것이었다." 그랬구나. 막연히 경기 일원의 농촌 지역으로만 기억하고 있었는데, 이 이름 있는 소설의 배경이 양평이었구나. 기실 황순원 선생 생전에 제자들은 그 분을 모시고 양평으로 자주 야외수업 등의 나들이를 가곤 했다. 「나무와 돌, 그리고」 같은 단편에서는 양평의 용문사 은행나무가 주요한 소재로 등장하기도 한다.

그로부터 아주 긴 생각과 노력, 양평에 황순원문학촌 소나기마을을 만드는 일이 시작되었다. 양평군수와 협의하고, 또 황순원 선생이 23년 6개월을 재직한 경희대학교가 참여하는 방안을 강구했다. 2003년 6월 양평군과 경희대학교는 자매결연을 맺었으며, 그 부대사업으로 소나기마을 건립을 추진키로 합의했다. 사석에서 가볍게 오간 대화와 구상이 한국 최대의 문학공원으로 모습을 드러내는 데는, 2009년 6월까지 꼭 6년의 기간이 소요되었다.

　중요한 것은 문학관의 외형이 아니라 그것을 채우는 콘텐츠였고 그 내실의 단단하고 충실한 정도였다. 황순원의 문학세계 전체를 다시 조사하고 연구하여 이 콘텐츠를 구성하는 데 3년이 걸렸다. 그리고 이를 구체화하는 문학관과 테마파크를 건립하는 데도 3년이 걸렸다. 적지 않은 난관이 있었다. 하지만 함께 참여한 이들은, 한국문학에 '순수와 절제의 미학'을 이룬 작가를 생각하면서 묵묵히 애썼다. 양평군에서도 최선의 수고를 아끼지 않았다.

　소나기마을은, 황순원의 「소나기」라는 이름만으로도 우리의 가슴에 감동이 생성하는, 저 고색창연한 정서적 반탄력에 빚지는 바 크다. 온 국민의 사랑을 받아온 소설, 어린 시절의 기억과 첫 정의 아름다움이 수채화처럼 배어 있는 소설이 「소나기」이다. 모두가 이 작품과 더불어 문장 및 문학을 배웠고, 그러기에 연륜이 더해갈수록 그 아련한 정감이 더욱 그리워지는 소설이다. 소나기마을은 이와 같은 해맑은 동심의 세계와 소중한 과거로의 회귀를 원본 그대로 살리려는 정신을 담았다.

　소설의 수숫단 모양을 본 따 3층으로 지은 문학관에는 작가의 생애와 작품, 작품을 시청각 시스템으로 형상화하고 체험할 수 있도록 한 설비들이 잘 짜인 구조 속에 배치되어 있다. 각기의 방에는 중앙 홀, 작가와의 만남, 작품 속으로, 「소나기」 속으로 등의 호명이 부여되어 있다. 그리고 「소나기」의 스토리 종결 이후를 다시 구성한 애니메이션 「그날」을 상영하는 '남폿불 영상실'이 있다. 방문자를 위한 '마타리꽃 사랑방'은 작가의 문학을 시각·청각·촉각으로 만나는 다면 체험의 공간이다.

문학관을 나서면 오른편 곁에 작가의 유택이 있고 1만4천평의 일대 야산이 황순원 문학공원으로 구성되었다. 겨울철을 제외하고는 공원 중앙의 소나기광장에서 하루 몇 차례 인공 소나기를 체험할 수 있다. 공원 전체를 채우고 있는 원두막, 수숫단, 산책로, 들꽃밭 등이 몸과 마음의 쉼터로 마련되었다. 이곳에 가면 누구나 세속의 분진을 씻어내고, 부드럽고 섬세하고 아름다운 심성을 회복하고 돌아오게 된다.

요즘처럼 정치나 경제의 모든 부면에서 시끄러운 세상의 논란들이, 그 속을 잘 들여다보면 결국 처음의 순수성을 잃어버렸기 때문에 생기는 사단이다. 왜 그래야 할까. 조금만이라도 자기편의적 해석과 잘 포장된 욕망을 내려놓으면 한결 쉬울 텐데. 문을 연 이래 매일 많은 사람들이 소나기마을을 찾는 이유는, 거기에 그러한 문제들의 답이 있기 때문이다.

소나기마을을 찾아가는 이유

한국의 수십 개 문학관 가운데 가장 많은 유료 관람객이 찾아오는 곳은 봉평의 이효석문학관이었다. 필자가 현장에서 문의하여 확인하기로는 개관 15년이 되었을 때 연간 6만 명에서 8만 명이 관람다고 했다. 대단한 숫자가 아닐 수 없다. 대개의 문학관에는 하루 몇 십 명의 방문도 쉬운 일이 아니기 때문이다. 이효석 문학관에는 그럴 만한 전제 조건이 있다.

우리 사회의 문화적 수준이 성숙하면서, 과거처럼 아이들을 데리고 여행을 떠나 맛있는 음식을 사주곤 하던 관습은 이제 낡은 풍경이 되었다. 어디를 가든 교훈이 될 만한 체험을 동반해야 하고 학교에서도 그것을 요구하는 교과 과정을 수립하고 있다. 봉평은 그 주변이 모두 리조트와 콘도미니엄이라 자연스럽게 사람이 모일 수 있는 입지를 갖추었다. 게다가 메밀꽃 철마다 여는 이효석문학제가 온전히 견인차의 역할을 한다.

그런데 이 놀라운 기록을 넘어서는 새로운 문학관이 수면 위로 떠올랐다. 양평의 황순원문학촌 소나기마을이다. 개관 5년이 된 2014년 이 문학촌의 유료 관람객은 10만 명 넘겼고 그 다음부터 13만 명에 이르고 있다니, 미상불 한국 최고의 숫자이다. 이효석문학관이 제 자리를 잡는데 10 여 년이 걸렸다는데, 이 소나기마을은 문을 연지 불과 5년 만에 이와 같은 성과를 거두었다는 것이다.

물론 여기에도 그럴만한 이유가 있다. 우선 소나기마을은 수도권에서의 접근성이 뛰어나다. 서울 외곽에서 30분이면 도착할 수 있다. 양수리에서 북한강변을 끼고 문호리 쪽으로 향하다가 오른쪽 산자락 길로 들어서면 얼마 안가서 그 입구를 만날 수 있다. 멀리서 바라다 보이는 문학관 지붕이 수숫단 모형의 원추형으로 솟아 있고 주변 숲과 시내의 경관이 소년 소녀가 놀던 곳처럼 아기자기하고 수려하다.

이제 어른이 된 사람, 아직 학생으로 있는 청소년들 모두 「소나기」라는 소설을 알고 있다. 특히 어른 세대에 있어서 이 순후하고 서정적이며 깔끔하게 절제된 단편소설은, 어린 시절 첫사랑의 무지개를 동반한 꿈의 근원으로 기억된다. 그 아련한 추억이 너무도 소중해서, 때로는 험한 세파에 시달리며 살아온 자신에 대한 연민으로, 양평 가도에서 소나기마을 안내 표지판을 보면 자신도 모르게 핸들을 따라 꺾게 된다는 것이다.

이와 같은 청순한 이미지나 관람객의 자발적 정서는, 소나기마을을 국내 최대의 문학 테마파크가 되도록 하는 강력한 동인임에 틀림 없다. 하지만 그것은 외형적으로 눈에 보이는 요소일 뿐 더 중요한 모티브는 문학촌 내부에 있다. 한 번 방문 했던 사람이 다시 찾아 오고 또 지인들에게 방문을 권유하는 입소문이 없고는 그만한 숫자를 채우기 어렵다. 더욱이 양평은 봉평과 같이 숙박형이 아닌, 경유형의 방문지라는 취약점이 있다.

소나기마을을 계획한 양평군과 황순원 선생이 23년 6개월 동안 재직했던 경희대학교의 제자들은 3년 간의 콘텐츠 연구와 다시 3년 간의 시공 기간을 거쳐 6년 만에 이 문학관과 문학공원을 지었다. 문학관을 통해 작가 황순원의 육필 원고와 유품 등을 전시하고 작품세계를 한 눈에 볼 수 있도록 배열하면서, 어른 아이 모두가 황순원 문학에 근접하여 체험할 수 있도록 새로운 애니메이션이나 작가에게 편지쓰기 등 여러 방식으로 손에 잡히는 체험 과정을 매설했다. 1만 4천여 평의 야산 산책로에는 작품 세계를 형용한 조형물들을 설치했다.

「소나기」에 딱 한 줄, '내일 소녀네가 양평읍으로 이사간다는 것이었다'는 문장에 의지하여 세워진 이 문학촌은, 그야말로 창의적이고 참신한 아이디어의 산물이었다. 좋은 생각이 생산적인 결과를 약속하는 하나의 범례가 거기 있었다. 그러나 정작 중요한 것은 그러한 교훈적 언사가 아닐 터이다. 어느 한 사람이라도 작가의 마을을 찾아 마음의 안식을 얻고 조금이라도 어린 날의 순수를 회복할 수 있는, 진정한 의미의 쉼터가 되어야 그 소중한 가치가 오래 갈 것이다.

「소나기」 초본初本과 소나기마을

　필자가 대학에서 한국 현대문학, 특히 소설 과목들을 맡고 있는 까닭으로, 적잖은 사람들이 이런 질문을 한다. "황순원의 「소나기」는 그 주제가 무엇인가요, 소년과 소녀의 순수한 사랑인가요?" 필자는 이에 대한 대답을 미리 준비해야 했다. "우리가 차마 사랑이라고 부르기에도 조심스러운 소년과 소녀의 순수한 심정적 교감이지요."

　사람들이 이런 질문을 하는 이유는, 우리들 모두가 「소나기」를 읽으며 말과 글을 배웠고 그 소설의 청신한 감동이 연륜을 더할수록 아련하고 애틋한 이미지로 우리에게 남아있기 때문이다. 그래서 우리는 별다른 이의 없이 이 소설에 '국민단편' 이란 이름을 부여하고 있다. 이와 같은 문학작품을 갖고 있다는 것은 비단 작가의 영예일 뿐만 아니라, 우리 문학사에도 하나의 소중한 자산이다.

　일찍이 작가 황순원 선생의 훈도薰陶 아래에서 문학을 익힌 필자는, 당신께서 「소나기」를 아끼는 작품으로 생각하되 대표작으로 내세우지는 않았던 것을 기억하고 있다. 동경 유학 시절의 젊은 나이에 시를 쓰기 시작해서, 단편소설과 장편소설의 창작을 거쳐 다시 시와 함축적인 단편소설의 세계로 돌아간 선생은, 그 작품들의 대표성을 『일월』이나 『움직이는 성』 같은 장편에 두었었다.

그러나 해방과 전쟁의 격동기를 거치던 그 시기, 1953년에 발표된 단편 「소나기」, 「학」 등의 작품은, 단편소설에서 장편소설로 넘어가던 무렵으로 작가의 단편 창작 기량이 천정을 치던 때에 생산되었다. 그냥 「소나기」요 무심코 「학」이 아니라는 말이다.

일생을 문학 이외의 다른 곳에 뜻을 두지 않고 한 마리 학처럼 고고하게 살다 간 선생의 문학에는 '노년의 문학'이란 꼬리표가 붙는다. 이는 평론가 천이두의 표현처럼 '단순히 노년기 작가의 작품'이 아니라 '노년에 이르도록 지속적으로 작품을 쓴 작가의 세계에서 발견되는 원숙한 분위기의 문학'이라는 뜻이다. 이러한 해설이 뒤따른 것은 문학하는 이들에게 언제나 값있는 교훈이 될 만하다.

일제 말기에서 오늘에 이르기까지 순수문학을 지킨 거목이요 작가의 인품이 작품 속에 투영되어 작가정신의 사표師表로 불리는 선생의 문학이, 우리 문학사에 의미 깊고 돌올돚兀한 봉우리를 이룩한 것은, 곧 문학에 대한 처음의 그 순수한 열정을 끝까지 변절 없이 지킨 결과였다. 이 범박한 초발심初發心의 이치를 알면서도 그것을 삶 가운데서 실천하는 일은 어찌 그리도 어려운지 모르겠다.

그 황순원 선생과 소설 「소나기」를 기리는 한국 최대, 아니 세계 최대의 문학 테마 타운이 경기도 양평군 서종면 수능리에 들어섰다. 황순원문학촌·양평소나기마을이 그것이다. 1만 4천여 평 야산에 3층 규모의 문학관이 건립되었는데, 「소나기」를 비롯한 작품세계와 작가의 생애·유품을 한 눈에 볼 수 있고 광활한 야외에 소설 장면들을 상징하는 문학공원이 만들어졌다. 개관을 앞두고 5년간에 걸쳐 황순원문학제가 개최되기도 했다.

근자에 「소나기」의 '원작'이라 할 만한, 다른 지면에 발표된 작품이 발굴되어 화제가 되고 있다. 「소나기」는 1953년 5월 『신문학』에 발표되었는데, 그보다 앞선 초본初本으로 보이는 「소녀」가 같은 해 11월 『협동』에 발표된 것이 발견된 것이다. 종전終戰 전후의 복잡하던 시기에 먼저 원고를 준 잡지가 발간 가능성이 없어 보이자 수정본을 다른 잡지에 준 것인데, 그 나중 잡지가 먼저 발간된 것으로 보인다.

황순원 선생은 판을 달리할 때마다 문장 하나하나를 다시 읽으며 고친 분으로 유명하다. 그 수정본에서 결미 네 문장을 버림으로써, 단편소설로서 여백의 아름다움을 빛내는 「소나기」의 대단원이 형성된 셈이다. 온 생애를 걸고 성의와 진심을 다해 작품을 쓰고 그 어휘와 문장 마다 혼을 불어넣은 작가정신! 뜬세상의 덧없는 모습들 앞에서, 새삼 큰 스승의 얼굴이 그리워 눈시울이 뜨겁다.

삶의 무거운 짐 내려놓는 동심의 고향

북한강 안길 중미산 자락의 시골동네

한반도의 중동을 가르며 동쪽 두 방향에서 흐르던 물길이 한데 모여 한강을 이루고 서울을 거처 서해로 빠져나가는 그 중간 어름. 남한강과 북한강이 합수한다고 해서 경기 양평의 '양수리'다. 양수리에서 북한강변을 따라 길을 거슬러 오르다가 오른편 방향의 중미산 자락으로 파고들면, 문득 시야가 시원해지며 평화로운 산골에 고즈넉이 펼쳐진 시골마을을 만난다. 행정구역으로는 서종면 수능리. 그리 많지 않은 농가들이 전설처럼 숨죽이며 엎드려 있고, 저만치 낮은 산등성이의 사철 푸른 나무들 사이로 원뿔형의 건물 지붕이 솟아올랐다. 황순원문학촌 소나기마을이다.

20세기 격동기의 한국문학에 순수와 절제의 극極을 이룬 작가, 황순원의 수발秀拔한 단편 「소나기」의 소설 무대를 재현한 공간. 「소나기」는 첫사랑을 경험하는 소년과 소녀의 순수하고 아름다운 이야기를 담았다. 우리가 차마 사랑이라는 이름으로 부르기도 조심스러운, 그 애틋하고 미묘한 감정적 교류가 고스란히 살아 있다. 이 소설의 중심인물은 시골 소년과 윤초시네 증손녀인 서울서 온 소녀다. 이들은 개울가에서 가까워지고 벌판 건너 산에까지 갔다가 소나기를 만난다. 몰락해가는 집안의 병약한 후손인 소녀는 그로 인해 병이 덧나 죽는다.

　소녀는 물이 불은 도랑물을 엎혀 건너면서 소년의 등에서 물이 옮은 스웨터를 그대로 입혀서 묻어달라는 '잔망스러운' 유언을 남긴다. 그런데 「소나기」에서 정작 중요한 것은 그와 같은 이야기의 줄거리만이 아니다. 간결하면서도 정곡을 찌르는, 속도감 있는 묘사 중심의 문체가 보석처럼 빛나는 작품이다. 작은 사건과 사건들, 그것을 감각하는 소년과 소녀의 세미한 반응 등 사소하고 구체적인 부분들의 단단한 서정성과 표현의 완전주의가 이 소설의 청신한 문면에 배어 있다. 실제로 소설의 배경을 구체적 형상으로 재현하는 데 있어 이러한 장점을 제대로 살리는 일은 참으로 어려운 과제가 아닐 수 없다.

　「소나기」에 묘사된 마을은 경기 북부 지방의 전형적인 시골 풍경을 보여주고 있다.

　　소년은 갈림길에서 아래쪽으로 가 보았다. 갈밭머리에서 바라보는 서당골 마을은 쪽빛 하늘 아래 한결 가까워 보였다.
　　어른들의 말이 내일 소녀네가 양평읍으로 이사간다는 것이었다. 거기 가서 조그마한 가겟방을 보게 되리라는 것이었다.
　　　　　　　　　　　　　　　　　　　　　　　　　　　－「소나기」 부분

　이 인용문에서 우리는 작가가 구상한 서당골 마을, 곧 소년과 소녀가 만남을 이어온 개울이 있는 그곳이 어디인지 어렵지 않게 유추할 수 있다. '소녀네가 양평읍으로 이사간다'는 명문明文의 표현을 두고 대체로 양평 관내에서 읍으로 이사간다고 보는 것이 타당하기 때문이다. 작가 황순원이 23년 6개월 동안 교수로 재직하면서 많은 제자를 길러낸 경희대학교, 그리고 '국민단편'으로 불리는 「소나기」의 무대 양평군은, 이 문장 한 줄에 의지하여 함께 손잡고 이곳에 소나기마을을 세웠다. 작가는 생전에 학생들과 더불어 양평 일원으로 작품 취재, 야유회, 답사, 낚시 등을 자주 다녔다.

단편 「나무와 돌, 그리고」와 같이 양평 군내 용문산 은행나무를 직접적인 소재로 한 작품도 있고, 또 농촌이 배경인 작품 가운데 여럿이 양평의 자연 경관과 환경을 짐작할 수 있는 모양새를 갖추고 있다. 소나기마을을 계획하던 초기, 필자를 비롯하여 인문적 상상력이 넘치던 기획자들은 작가와 양평의 상징적 상관성에 관한 흥미로운 요소들을 여러모로 탐색하고 또 발굴했다. 작가가 젊은 시절을 보낸 평양의 두 음절을 거꾸로 읽으면 양평이 된다. 부인 양정길 여사의 성씨楊와 양평의 첫 글자楊가 같다. 또한 양평군의 전신인 양근陽根군과 지평砥平군의 어의語義가 작가의 인품 및 작품세계의 특성과 부합한다.

미상불 부드러운 버드나무의 굳센 뿌리나 숫돌砥과 같은 공평성은, 작가가 자신의 삶이나 작품을 통해 보여준 온화하면서도 엄정한 정신을 표상하는 측면이 있다. 말하자면 소나기마을은 작가의 생애와 작품, 그리고 그 정신적 내면이 조화롭게 반영될 수 있도록 처음 목표를 지속적으로 붙들고 있는 경우이다. 위의 인용문에서 보이는 여러 낱말들, '갈밭머리'나 '쪽빛 하늘' 그리고 '가겟방' 등은 소나기마을 안에 3층 건물로 서 있는 문학관의 구역 이름이 되었다. 한 작가의 한 작품을 중심에 둔 이 문학 테마파크는, 「소나기」속의 자연적 배경을 현실적으로 살려내어 마을을 한 바퀴 돌면 마치 소설 작품 속을 한 바퀴 돌아 나오는 느낌이 들도록 동선을 구성했다.

이와 함께 아주 실용적인 문학관과 부대시설을 구비하여 작가 유물 및 작품 전시, 동영상 상영, 세미나실·도서실·실내강당·야외공원장 운영 등을 병행하고 있다. 소설의 수숫단 모양을 본떠 지은 문학관에는 작가의 생애와 작품, 작품을 시청각 시스템으로 형상화하고 체험할 수 있도록 한 설비들이 유기적인 구조 속에 배치되어 있다. 각기의 방에는 중앙 홀, 작가와의 만남, 작품 속으로, 「소나기」 속으로 등의 호명이 부여되어 있다. 그리고 「소나기」의 스토리 종결 이후를 다시 구성한 애니메이션 「그날」을 상영하는 남폿불 영상실이 있고, 방문자들이 쉬면서 작가의 문학을 시각 · 청각 · 촉각으로 만나는 다면 체험의 공간 마타리꽃 사랑방이 있다. 이때의 '남폿불' 이나 '마타리꽃' 도 모두 작품 속에서 가져온 이름이다.

문학관을 나서면 오른편 곁에 작가의 유택이 있고, 1만 4천 평에 이르는 일대의 야산이 황순원 문학공원으로 조성되었다. 겨울철을 제외하고는 공원 중앙의 소나기광장에서 하루 몇 차례 인공 소나기를 체험할 수 있다. 공원 전체를 채우고 있는 원두막, 수숫단, 산책로, 들꽃 꽃밭 등은 몸과 마음이 지친 현대의 도시인들로 하여금 세속의 분진을 씻어내고 부드럽고 섬세하고 아름다운 감성을 되찾게 하는 쉼터로 마련되었다. 이와 같은 재현과 체험의 방향성은 「소나기」라는 작품의 이름만으로도 우리의 가슴에 감동이 생성하는, 어린 시절에 읽고 습득한 저 고색창연한 정서적 반탄력에 힘입은 바 크다. 온 국민의 사랑을 받아온 소설, 어린 시절의 기억과 첫정의 순수가 수채화처럼 스며있는 소설이 「소나기」인 까닭에서다.

지금의 기성세대는 모두 이 작품과 더불어 문장 및 문학을 배웠고, 그러하기에 연륜이 더해 갈수록 그 아련한 정감이 더욱 그리워지는 소설이다. 소나기마을은 이처럼 해맑은 동심의 세계와 소중한 과거로의 회귀를 원본 그대로 살리려는 '선량한' 의도를 담았다. 대개의 시끄러운 세상 논란은, 그 내부를 잘 들여다보면 결국 처음의 순수성을 잃어버리고 그 자리를 '이기적인' 생각으로 채웠기 때문에 생기는 사단이다. 비록 조금의 분량이라도, 자기편의적 해석과 잘 포장된 욕망을 내려놓으면 한결 쉬울 텐데, 사람들은 그 간단한 이치를 모른다. 이 작지만 소중한 깨달음의 불꽃을 각자의 가슴에 지피는 일이 소나기마을의 존재 이유 가운데 하나다.

소나기마을에는 건립 5년을 넘기면서 13만 명에 이르는 유료입장객이 찾아왔다. 국내 최대의 규모다. 여름휴가 기간에는 주말에 하루 2천 명이 넘는 방문자들이 문학관과 광장과 산책로에 넘친다. 여기에서 중요한 것은 문학관의 외형이 아니라 그것을 채우는 내실의 단단하고 충실한 정도였다. 황순원의 문학 세계를 다시 연구하여 이 콘텐츠를 구성하는 데 꼬박 3년이 걸렸다. 이를 구체화하는 문학관과 야외 시설을 완공하는 데도 그 만큼의 기간, 3년이 걸렸다. 2003년 6월 양평군과 경희대학교가 자매결연을 맺고 추진위원회를 발족한 이래, 2009년 6월 개장하기까지 6년간의 세월이 소요되었던 것이다.

적지 않은 난관이 있었다. 하지만 창의적인 아이디어와 성실한 수고가 헛되지 않아, 소나기마을은 한국의 대표적인 문화 명승으로 자리를 잡아가고 있다. 근래의 소나기마을은 새로운 중·장기 발전계획을 세우고 제2의 건립, 제2의 도약을 꿈꾸고 있다. 야산 산책로를 구분하여 이미 이름표를 붙여둔 황순원의 다른 작품들을 조형으로 형상화 하는 일, 황순원 문학으로부터 문학의 인본주의 일반으로 그 개념을 확대하는 일, 그리고 이에 부응하도록 마을 전체를 보완하고 확장하는 일 등이 계획 중에 있다. 누구나 찾아와서 세상살이의 아픔과 어려움을 내려놓고 동심과 순수성을 회복함으로써 새로운 기력의 섭생을 도모할 수 있는 문화 공간, 그것이 소나기마을이 가진 '오래된 미래' 의 꿈이다.

앞만 보는 그대 뒤돌아보라,
자기성찰의 거울 있다

— 지금, 왜 황순원 문학인가

일찍이 불후의 명작 『실락원』을 쓴 존 밀턴(1608-1674)은 "험난한 시대를 깨어있는 정신으로 살았다"는 언표를 남겼다. 어느 시대인들 험난하지 않을까마는, 오늘날과 같이 나라의 명운을 건 사건들이 임립林立한 시기에 있어 밀턴의 소회는 시사하는 바가 크다. 역사 상 전례를 보기 드문 국정농단 사태와 거리로 나선 보수·진보 진영 간 갈등을 거쳐 이제 대선을 보름 남짓 남겨놓고 있다. 이 불꽃 튀는 접전의 선두에 선 사람들, 대선주자나 그 조력자들은 미상불 눈앞의 목표가 화급하여 마땅히 지켜야 할 대의大義를 망각하기 쉽다. 타산지석이 될 교훈이 필요한 이유다.

한국문학에 순수와 절제의 극 이뤄

여기에 유용한 자기성찰의 거울이자 자기측정의 저울로, 작가 황순원(1915-2000)과 그의 작품들을 떠올려 본다. 20세기 격동기의 한국문학에 순수와 절제의 극極을 이룬 이 작가는 일제강점이 시작된 암흑기 초입, 평남 대동군에서 출생했다. 열여섯의 청춘에 시를 쓰기 시작해서 80대의 노령에 이르도록 시 104편, 단편 104편, 중편 1편, 장편 7편의 문학적 유산을 남겼다. 그의 작품들은 시종일관 인간이 겪어야 하는 내면적 고통을 응시하며, 이의 극복과 치유의 방향성을 탐색하는 인본주의적 태도에 바탕을 둔다.

황순원의 문학은 시에서 출발하여 단편소설로 그 세계를 확대하고 다시 장편소설로 영역을 확장한 뒤 말기에서는 함축적인 단편과 시의 자리로 돌아오는 완결성의 미학을 보인다. 이 보기 드문 과정은 서구문학의 괴테가 그러했듯이 일생을 두고 지속적 시간과 함께 창작을 한 작가에게서 목도할 수 있는 현상이다. 사소한 일에 일희일비하며 먼 길을 내다보는 눈이 허약한 우리 시대의 지도층 인사들이 반드시 학습해야 할 덕목에 해당한다. 문학평론가 천이두는 황순원의 이와 같은 면모에 '노년의 문학'이란 명호를 붙이고, '단순히 노년기의 작가가 생산한 문학이 아니라 노년에 이르도록 작품 활동을 한 작가에게서 볼 수 있는 원숙한 분위기의 문학'이라고 설명했다.

황순원은 일제 말기에 읽혀지지도 출간되지도 않는 작품들을 은밀하게 쓰면서 모국어를 지켰다. 이 소설들은 광복 후 『기러기』라는 표제를 달아 상재되었다. 모두가 동시대의 압제적 권력에 밀려 숨죽이거나 훼절을 일삼을 때, 한 작가의 외로운 창작실은 그 혼자만의 불을 밝히고 있었으니 이것이 나라사랑의 실천이 아닐 수 없다. 기실 황순원의 부친 황찬영은, 3.1운동 때 평양에서 교사로 있었으며 평양 시내 태극기 배포 책임자로 투옥되었고 나중에 독립유공자로 추서되었다. 우리가 오늘의 대선주자들에게 정파적 정권적 욕망을 버리고 민족적 국가적 차원에서 생각하라고 요구할 수 있는 것은, 바로 이러한 작가의 염결한 정신주의가 우리 곁에 살아 있는 까닭에서다.

험난한 시대에 깨어있는 정신의 힘

황순원이 살았던 격동의 시기는 그 작품세계와 더불어 세 개의 고비로 분할해 볼 수 있다. 먼저 일제강점기다. 문필에 뜻을 둔 청년의 꿈은 컸으나 그것을 펼칠 수 있는 공간은 협소했다. 열다섯 살이 되던 1929년, 정주의 오산중학에 입학한 황순원은 건강 때문에 평양의 숭실중학으로 옮기기까지 한 학기를 거기서 보냈다. 이때 만난 교장 선생이 남강 이승훈 선생이다. 아직 연소한 시절의 작가에게, '남자라는 것은 저렇게 늙을수록 아름다워질 수 있는 것이로구나' 라는 느낌을 얻게 한 분이다.

황순원의 단편 「아버지」에서 화자는 독립운동을 하다 감옥에 갇힌 부친에게서 다시 '늙을수록 아름다운 남자' 를 발견한다. 황순원 자신도 결국 이 부류의 남자였다. 이러한 내면적 각성의 힘, 인간의 삶에 있어서 꼭 지켜야할 것과 버려야할 것을 구분하는 도덕적 근본주의의 힘은 『늪』이나 『기러기』 같은 초기소설의 주정적主情的세계에도 그대로 적용된다. 그에게는 이 두 권의 소설집 보다 앞서 『방가』와 『골동품』이라는 두 권의 시집이 있다. 시대적인 삶, 그리고 개인적인 삶의 양자에 걸쳐 황순원의 초기 작품에는 '부끄러움' 을 알고 고뇌하는 인물들이 넘친다. 후안무치한 행동과 식언飾言, 약속의 번복을 마치 대범하고 힘 있는 지도력의 면모인 양 착각하는 이들에게는 참으로 값있는 '거울' 들이다.

두 번째는 민족상잔의 6.25동란이다. 전쟁이 나자 황 씨 지주집안은 그동안의 핍박을 뒤로 하고 솔가하여 월남한다. 황순원은 그 포화의 여진 속에서, 또 부산 피난 시절에도 글쓰기를 멈추지 않았다. 이 작가의 수발한 단편 「목넘이마을의 개」는 전쟁 중에서도 환경조건을 넘어서는 강인한 생명력을 그렸고, 장편 『나무들 비탈에 서다』는 그 엄혹한 기간을 살아낸 젊은이들의 삶을 형상화하면서 새로운 미래를 모색했다. 전쟁 중에 이데올로기의 주박呪縛을 어린 시절 우정으로 넘어서는 「학」이나, 전쟁 말기에 한 시골소년과 소녀의 순정한 첫사랑 이야기를 쓴「소나기」는, 어떻게 전쟁의 상황을 초극할 것인가를 감동적으로 보여준 작품들이다.

세 번째로 황순원이 감당한 시대는 실상 앞의 두 경우보다 훨씬 더 집요하고 구조적인 성격을 가졌다. 곧 전후 복구의 시기를 거쳐 새롭게 열린 산업화의 자본 형성과 물신주의의 시대를 말한다. 인본주의를 근간으로 하는 작가에게는 전면전이 될 수밖에 없는 이 길고 힘겨운 창작 기간에 그는 훨씬 부피가 큰 장편소설로 대응했다. 『일월』이나 『움직이는 성』과 같은 인간의 존재론적 고독이나 한국인의 근원 심성에 대한 철학적 성찰, 『신들의 주사위』처럼 한 지역사회를 통한 다양한 삶의 양상에 대한 실증적 탐구 등이 그 증빙이다. 이는 우리 사회의 정신적 저변을 반사하는 '거울'이자 그 실상을 계측하는 '저울'로서의 역할을 수행했다.

황순원의 후기 단편과 시는 삶을 마감하는 노년의 눈으로 죽음의 문제에 대한 웅숭깊은 접근을 보인다. 단편집『탈』에 수록된「소리 그림자」, 「마지막 잔」, 「나무와 돌, 그리고」같은 작품은 이 대목에 있어서 한국 소설의 수준을 한 차원 높게 이끄는 성취를 거양한다. 누구에게나 일생을 두고 추구하는 가치 있는 삶에의 꿈이 있다. 황순원은 언제나 본질적인 것의 순수함과 아름다움을 지향한 문학적 태도를 견지했고, 그의 작품 속 화자들은 죽음을 대면하고서도 전혀 요동하지 않았다. 그 자신 또한 그와 같은 삶을 살았다. 그의 소설은 일생을 건 구도求道의 도정이었고, 우리는 그로부터 인생론의 진수를 배웠다.

그의 소설은 일생을 건 구도의 도정

격동의 사건들로 편만한 21세기를 살아가는 우리는 그의 문학에서 배우고 익혀야 할 것이 너무도 많다. 국가 지도자에서부터 저잣거리의 필부

필부匹夫匹婦에 이르기까지, 책을 읽고 문학을 접하고 교양을 쌓아야 할 이유 한가운데 작가 황순원과 그의 문학을 향한 꿈이 잠복해 있는 것이다. 1931년의 처녀 시 「나의 꿈」은 어쩌면 이 머나먼 행로를 내다보면서 한 소년이 그 가슴에 지핀 예감의 불꽃이었는지도 모른다. 마침 이 작가를 기리고 그 문학적 가르침을 지키며 이를 우리의 현실적인 삶 속에 도입하려는 시도가 경기도 양평의 '황순원문학촌 소나기마을'이란 이름의 테마파크로 조성되어 있다. 인본주의와 인간중심주의를 지향하며 한국문학에 순수성과 완결성의 범례를 보인, 그 삶에 있어서는 금도襟度와 절제를 실천한 작가와 새롭게 만날 수 있는 곳이다.

소나기마을이 양평에 자리한 것은 단편 「소나기」 중 "내일 소녀네가 양평읍으로 이사 간다는 것이었다"라는 한 구절에서 비롯됐다. 작가가 23년 6개월 동안 교수로 재직하면서 후학을 양성한 경희대학교와 양평군이 함께 손잡고 국내 최대의 문학공원을 조성했다. 3층으로 지어진 문학관과 1만4천 평 야산의 문학 산책로로 구성된 이 마을을 한 바퀴 돌면, 황순원의 작품 속을 일주하고 나온듯한 후감이 남는다. 팍팍한 세상살이에 지친 사람들, 어리고 젊은 시절의 꿈과 추억을 잊어버리고 사는 사람들이 그 무거운 마음의 짐을 내려놓고 옛날의 동심으로, 순후한 초심으로 되돌아가자는 것이 이 마을의 소박한 권면이다.

그렇게 보면 이와 같은 작가와 그 작가의 얼이 깃든 문학마을이 있는 것은, 우리의 작고 소중한 행복이 아닐 수 없다. 더욱이 지금처럼 배려와 관용의 정신이 사라지고 누구나 자기변호와 이익을 우선시하는 세상에 있어서는 더욱 그렇다. 소나기마을은 지금 전국에서 가장 많은 유료 입장객이 찾아오는 문학관이다. 성수기에는 하루 2천여 명에 이른다고 한다. 앞으로 알퐁스 도데의 「별」, 생 떽쥐베리의 『어린왕자』, 마크 트웨인의 『톰 소여의 모험』을 포함한 '첫사랑 문학마을'로 제2의 건립을 추진한다는 소식도 들린다. 작가 황순원과 그 작품세계 그리고 작가를 기리는 소나기마을 덕분에 잠시나마 상쾌한 행복을 누린 아침이다.

Ⅳ. 황순원 연보 및 발굴 작품

● 작가 및 작품 연보
1930년대 황순원 시 자료 발굴 작품
동란 직전과 1970년대 초입의 발굴 작품

작가 및 작품 연보

1915(1세)

평안남도 대동군 재경면 빙장리 1175번지에서 출생. 부친 황찬영黃贊永과 장찬
붕張贊朋의 장남으로 태어남. 황순원의 자는 만강晩岡으로 부친이 지어주셨다
함. 호는 민향民鄕으로, '백성의 고향'을 뜻하며 작가 스스로 지었다 함.

1919(5세)

3 · 1 기미독립운동 일어남.
평양 숭덕학교 고등과 교사로 재직하던 부친이 태극기와 독립선언서를 평양시
내에 배포, 책임자의 한 명으로 일경에 붙들려 징역 1년 6개월의 실형을 받음.
이 사건은 후 단편 「아버지」(1947.2 창작)의 소재가 됨.

1923(9세)

평양 숭덕소학교 입학.

1929(15세)

3월, 숭덕소학교 졸업, 정주 오산중학교 입학. 남강 이승훈 선생과 만남.
9월, 건강 때문에 평양 숭실중학교로 전학.
11월 3일, 항일광주학생운동이 일어남.

1930(16세)

동요와 시를 쓰기 시작.

1931(17세)

7월, 시「나의 꿈」을 『동광』에 발표.

9월, 시「아들아 무서워 말라」를 『동광』에 발표.

12월, 시「默想」을 발표.

1932(18세)

1월, 시「젊은이여」창작.

4월, 시「街頭로 울며 헤매는 者여」창작.

5월, 시「넋 잃은 앞가슴을 향하여」가 『동광』 문예특집호에 발표.

7월, 시「荒海를 건너는 사공아」를 『동광』에 발표. 시「잡초」를 창작.

8월, 시「팔월의 노래」창작.

10월, 시「꺼진 등대」창작.

11월, 시「떨어지는 이날의 太陽은」창작.

1933(19세)

1월, 시「1933년의 수레바퀴」를 창작.

3월, 시「석별」창작.

4월, 시「강한 여성」을 창작.

5월, 시「옛사랑」창작.

6월, 시「압록강의 밤」창작.

7월, 시「황혼의 노래」창작.

10월, 시「우리 안에 든 독수리」창작.

1934(20세)

3월, 숭실중학교 졸업, 일본 동경 와세다 제2고등학원 입학. 동경에서 이해랑·김동원씨 등과 함께 극예술 연구 단체인 '동경학생예술좌' 창립.

9월, 시「이역에서」발표.

11월, 첫시집 『放歌』를 '동경학생예술좌' 에서 간행.

12월, 시「밤거리에 나서서」를 『조선중앙일보』에 발표.

1935(21세)

『三四文學』의 동인이 됨.

1월 2일, 시 「새로운 行進」을 『조선중앙일보』에 발표.

1월 17일, 양정길(楊正吉; 본관 淸州, 1915년 9월 16일생)과 결혼. 당시 양정길은 일본 나고야의 금성여자전문 학생이었음.

1월에서 8월까지에 걸쳐 시 「歸鄕의 노래」, 「거지애」, 「새出發」, 「밤車」, 「街路樹」, 「굴뚝」, 「故鄕을 향해」, 「午後의 한 一片」, 「고독」, 「찻속에서」, 「무덤」을 『조선중앙일보』에 발표. 시집 『放歌』를 조선총독부의 검열을 피하기 위해 동경에서 간행했다 하여 여름방학 때 귀성했다가 평양 경찰서에 붙들려 들어가 29일간 구류 당함.

10월 15일, 시 「개미」를 『조선중앙일보』에 발표. 유치장 생활 이후 서울에서 발행하는 『三四文學』의 동인이 됨. 1935년 12월에 『三四文學』 종간.

1936(22세)

『創作』, 『探求』의 동인이 됨. 제2시집 『骨董品』 간행.

3월, 와세다 제2고등학교 졸업, 와세다대학 문학부 영문과 입학.

4월, 시 「逃走」, 「잠」을 『創作』 제2집에 발표.

5월, 제2시집 『骨董品』을 '동경학생예술좌'에서 간행. '동물초,' '식물초,' '정물초'로 구성된 이 시집은 1935년 오월부터 십이월까지 창작한 시들로서, 총 22편이 실림.

7월, 시 「七月의 追憶」을 『신동아』에 발표.

1937(23세)

최초의 단편소설 발표.

7월, 단편 「거리의 副詞」를 『創作』 제3집에 발표.

1938(24세)

4월 9일, 장남 동규(東奎) 출생.

10월, 단편 「돼지系」, 시 「과정」, 「행동」을 『작품』 제1집에 발표.

1939(25세)

3월, 와세다 대학졸업.

단편 「늪」, 「허수아비」, 「配役들」, 「소라」, 「지나가는 비」, 「닭祭」, 「園丁」, 「피아노가 있는 가을」, 「사마귀」, 「風俗」을 1938년 10월부터 1940년 6월 사이에 창작함.

1940(26세)

단편집 『늪』 간행.

6월, 시 「무지개가 있는 소라껍데기가 있는 바다」, 「臺詞」를 『斷層』에 발표.

7월 17일, 차남 남규南奎 출생.

8월, 단편집 『늪』(간행시의 표제 『黃順元短篇集』)을 서울 한성도서에서 간행.

원응서元應瑞와 친교 맺음. 원응서는 활자화되지 못하는 작가의 작품을 읽어주고 평해 주었던 유일한 독자였음. 단편 「마지막 잔」에서 드러나고 있음.

단편 「별」(가을. 창작), 단편 「산골아이」(겨울. 창작)

1941(27세)

2월, 단편 「별」을 『인문평론』에 발표.

단편 「그늘」(여름. 창작)

12월 8일 태평양 전쟁 발발.

1942(28세)

3월, 단편 「그늘」을 『춘추』에 발표.

「별」과 「그늘」을 제외하고는 일제의 한글말살정책으로 발표기관이 없어지기 시작하여 작품을 발표하지 못하고 써둠. 단편 「저녁놀」(1941. 가을), 「기러기」(1942. 봄), 「병든 나비」(1942. 봄), 「애」(1942. 여름), 「黃老人」(1942, 가을), 「머리」(1942. 가을) 창작.

1943(29세)

단편 「세레나데」(1943. 봄), 「노새」(1943. 늦봄), 「孟山할메」(1943. 가을), 「물 한 모금」(1943. 가을) 창작.

9월, 평양에서 향리인 빙장리로 소개.

11월 7일, 딸 선혜鮮惠 출생.

1944(30세)

단편 「독 짓는 늙은이」(1944. 가을), 「눈」(1944. 겨울) 창작.

단편집 『기러기』(명세당, 1951)는 해방 전에 창작된 작가의 두 번째 단편집임.

1945(31세)

8월 15일 해방.

8월, 시「그날」,「당신과 나」.

10월, 시「신음소리」.

11월, 시「열매」,「골목」. 단편「술」(1945.10) 창작.

단편「술」에는, 해방 직후 평양 서성리를 배경으로, 적산의 처리문제, 조합의 형성문제, 이데올로기의 갈등, 조선인과 일본인의 대립감정들이 포착되고 있음.

1946(32세)

1월 21일, 3남 진규盡奎 출생.「그날」등 시 5편을『관서시인집』에 수록.

2월부터 5월까지, 국어 교원 강사.

5월, 월남. 지주계급이었던 황순원은 1946년 이른 봄부터 이북에서 토지개혁령이 내려지자 모친, 아내, 동생, 자녀를 데리고 38선을 넘음.

7월, 시「저녁저자에서」를『민성』87호에 발표. 단편「두꺼비」창작,『우리공론』(1947.4)에 발표.

8월, 단편「집」창작.

9월, 서울중고등학교 교사 취임.

11월, 장편「별과 같이 살다」창작.

12월, 단편「황소들」창작.

1947(33세)

1월, 단편「담배 한 대 피울 동안」을 창작, 9월『신천지』에 발표.

2월, 단편「술」(발표시의 제목「술 이야기」)을『신천지』에, 단편「아버지」를『문학』에 각각 발표.

3월, 단편「목넘이마을의 개」창작.

11월,「모자」창작,『신천지』에 발표(1950.3).

1948(34세)

단편집『목넘이마을의 개』간행.

3월, 단편「몰이꾼」창작.

4월 3일, 제주도 4·3사건 발발.

5월, 단편「이리도」창작,『백민』에 발표(1952.2)

8월, 단편 「청산가리」 창작.

8월 15일, 대한민국 정부 수립.

9월, 단편 「女人들」 창작.

12월, 해방 후의 단편만을 모은 단편집 『목넘이마을의 개』를 육문사에서 간행.

1949(35세)

2월, 단편 「몰이꾼」(발표시의 제목 「검부러기」)을 『신천지』에 발표.

6월, 콩트 「무서운 웃음」(발표시의 제목 「솔개와 고양이와 매와」)을 『신천치』 5·6월 합병호에 발표.

7월, 단편 「산골아이」를 『민성』에 발표.

8월, 단편 「孟山할머니」를 『문예』에 발표.

9월, 단편 「黃老人」을 『신천지』에 발표.

12월, 단편 「노새」를 『문예』에 발표.

1950(36세)

1월, 단편 「기러기」를 『문예』에 발표.

2월, 장편 『별과 같이 살다』를 정음사에서 간행. 이 작품은 「암콤」(『백제』, 1947.1), 「곰」(『협동』, 1947.3), 「곰녀」(『대호』, 1949.7) 등의 제목으로 산발적으로 분재하다가 이들을 미발표분과 합쳐 『별과 같이 살다』의 제목으로 간행.

4월, 단편 「독 짓는 늙은이」를 『문예』에 발표.

6월 25일, 동란 발발. 경기도 광주로 피난. 9·28수복.

10월, 「참외」 창작.

12월, 「아이들」 창작. 단편 「메리크리스마스」 창작.

1951(37세)

부산 망명문인 시절 김동리, 손소희, 김말봉, 오영진, 허윤석 등과 교유함.

2월, 단편 「어둠속에 찍힌 版畵」 창작, 『신천지』에 발표.

4월, 「목숨」 창작, 『주간문학예술』(1952.5)에 발표.

5월, 「曲藝師」 창작, 『문예』(1952.1)에 발표.

6월, 「골목안 아이」 창작. 황순원은 「암야행로」의 작가 志賀直哉(しがなおや)의 작품을 즐겨 읽음.

8월, 해방전의 작품만 모은 단편집 『기러기』를 명세당에서 간행.

10월, 단편 「그」 창작.
11월, 「자기 확인의 길」을 『작가수업』(수도문화사 刊)에 수록.

1952(38세)
1월, 단편 「曲藝師」를 『문예』에 발표.
5월, 단편 「목숨」을 『주간문학예술』에 발표.
6월, 단편집 「曲藝師」를 '명세당' 에서 간행.
8월, 단편 「두메」.
10월, 단편 「매」, 「소나기」 창작, 『신문학』 제4집(1953.5)에 발표.
11월, 단편 「寡辱」 창작, 『문예』(1953.1)에 발표. 시 「향수」, 「제주도 말」 창작, 『조선시집』(1952.12)에 수록.

1953(39세)
1월, 단편 「鶴」 창작, 『신천지』(1953.5) 발표.
5월, 단편 「盲啞院에서」 창작.
9월, 단편 「사나이」 창작. 장편 『카인의 後裔』를 『문예』에 제5회까지 연재했으나 이 잡지의 폐간으로 중단. 나머지 부분은 써둠.
10월, 단편 「왕모래」 창작. 단편 「산골아이」. 중학교 국어교과서에 수록.

1954(40세)
1월, 단편 「왕모래」(발표시의 제목 「윤삼이」)를 『신천지』에 발표.
2월, 단편 「사나이」를 『문학예술』에 발표.
12월, 단편 「부끄러움」 창작. 장편 『카인의 後裔』를 중앙문화사에서 간행.

1955(41세)
1월부터 장편 『人間接木』(발표시의 제목 『천사』)을 『새가정』에 1년간 연재하여 완결. 전쟁고아들의 폐허와 같은 삶을 보여줌.
3월, 장편 『카인의 後裔』로 아시아 자유문학상 수상. 서울중고등학교 교사 사임.
4월, 단편 「筆墨장수」 창작.
8월, 「그와 그네」라는 글을 『문학예술』에 발표.
10월, 단편 「불가사리」 창작.
11월, 단편 「잃어버린 사람들」 창작.

12월, 시 「새」 창작.

1956(42세)
1월, 시 「나무」를 『새벽』에 발표.
6월, 단편 「산」 창작.
9월, 단편 「비바리」 창작.
12월, 단편집 『鶴』을 중앙문화사에서 간행.
12월, 중편 「내일」 창작.

1957(43세)
2월, 중편 「내일」을 『현대문학』에 발표. 단편 「소리」 창작.
3월, 경희대 문리대 교수로 취임.
4월, 예술원 회원 피선.
10월, 장편 『人間接木』을 중앙문화사 간행.
11월, 「다시 내일」 창작.

1958(44세)
1월, 단편 「다시 내일」을 『현대문학』에 발표.
2월, 단편 「링반데룽」 창작.
3월, 단편집 『잃어버린 사람들』을 중앙문화사에서 간행.
5월, 콩트 「이삭주이」(발표시 제목 「콩트三題」)를 『사상계』에, 단편 「모든 영광은」을 『현대문학』에 각각 발표.
7월, 단편 「너와 나만의 時間」을 『현대문학』에 발표.
10월, 단편 「한 벤치에서」를 『자유공론』에 발표.
11월, 단편 「안개구름 끼다」 창작.
12월, 단편 「한 벤치에서」를 『자유공론』에 발표. 「과부」 영화화 됨.

1959(45세)
1월, 단편 「안개 구름끼다」를 『사상계』에 발표. 같은 달에 장편 『별과 같이 살다』, 『카인의 後裔』, 『人間接木』, 단편집 『늪』을 『한국문학전집』(민중서관刊) 제22권에 수록.
5월, 단편 「소나기」가 영국 Encounter 誌에 수상 게재됨.

10월, 단편「할아버지가 있는 데쌍」(발표시의 제목「데쌍」)을『사상계』에 발표.

1960(46세)
1월, 장편『나무들 비탈에 서다』를『사상계』에 연재 시작하여 7월호에 완결.
3월, 시「세레나데」창작.
4월, 시「세레나데」를『한국시집』에 수록.
4월 19일, 혁명이 일어남.
9월, 장편『나무들 비탈에 서다』를『사상계社』에서 간행.
12월, 콩트「손톱에 쓰다」(발표시의 제목「콩트二題」)를『예술원보』제5집에
발표.

1961(47세)
3월, 단편「내 고향 사람들」을『현대문학』에 발표. 이 작품은 작가와 자전적 요
소가 많이 드러남.
6월, 단편「가랑비」를『자유문학』에 발표.
7월, 장편『나무들 비탈에 서다』로 예술원상 수상.
11월, 단편「송아지」를『사상계』 문예특집호에 발표. 단편「잃어버린 사람들」
이 Collected Short Stories from Korea(국제 P.E.N. 한국본부) 제1권에 수록됨.

1962(48세)
1월부터 장편『일월』을『현대문학』 5월호까지, 제1부 발표.
10월부터 장편『일월』 제2부를,『현대문학』에 다음해 4월호까지 발표. 단편「과
부」가「열녀문」으로 개제되어 재 영화화됨.

1963(49세)
7월,「그래도 우리끼리는」를『사상계』에 발표.
10월,「비늘」을『현대문학』에 발표. 단편「鶴」이 미국 계간지 Prairie Schooner
가을호에 게재됨.

1964(50세)
2월, 단편「달과 밤과」를『현대문학』에 발표.
5월,『너와 나만의 時間』을 정음사에서 간행.

8월부터 장편『日月』제3부를『현대문학』에 연재하여 다음해 1월호에 완결.
12월,『황순원전집』전 6권을 창우사에서 간행.

1965(51세)
1월, 장편『日月』완결.
4월, 단편「소리그림자」를『사상계』에 발표.
6월, 단편「온기 있는 破片」을『신동아』에 발표. 단편「너와 나만의 時間」이
Korea Journal에 게재됨.
7월, 단편「어머니가 있는 유월의 對話」를『현대문학』에 발표.
11월, 단편「아내의 눈길」(발표시의 제목「메마른 것들」)이『사상계』에 발표.
12월, 단편「조그만 섬마을에서」가『예술원보』제9집에 발표.

1966(52세)
1월,「原色오뚜기」창작,『현대문학』에 발표.
3월, 장편『일월』로 3 · 1문화상 수상.
6월, 단편「수컷 退化說」을『문학』에 발표. 단편「原色오뚜기」가 Korea Journal
에 게재됨.
8월, 단편「自然」을『현대문학』에 발표.
11월, 단편「닥터 장의 境遇」를『신동아』에 발표.
11월, 단편「雨傘을 접으며」를 11월『문학』에 발표.
단편「잃어버린 사람들」,「소나기」,「왕모래」가 Die Bunten Schuche(Horst
Erdmann Verlag 社)에 수록됨.

1967(53세)
1월, 단편「피」를『현대문학』에 발표.
8월,「겨울 개나리」를『현대문학』에 발표. 단편「차라리 내목을」,『신동아』에
발표.
단편「잃어버린 사람들」과 장편『일월』이 영화화됨.

1968(54세)
1월, 단편「幕은 내렸는데」가『현대문학』에 발표. 같은 달에 단편「가랑비」가
Korea Journal에 게재됨.

5월부터 장편『움직이는 城』을『현대문학』에 연재시작, 10월호까지 제1부 발표.
장편『나무들 비탈에 서다』,『카인의 後裔』영화화 됨.

1969(55세)
5월,『황순원대표작선집』전 6권을 조광출판사에서 간행.
7월부터 장편『움직이는 城』제2부 1회 분을『현대문학』에 발표.
12월 7일, 콩트「무서운 웃음」이 Korea Times에 게재됨.

1970(56세)
5월부터 장편『움직이는 城』제2부 2회 분을『현대문학』에 발표.
같은 달에 단편「너와 나만의 時間」이 필리핀 Solidarity誌에 게재됨.
6월, 단편「鶴」이 Modern Korean Short Stories and plays.(국제 펜클럽 한국 본부刊)에 수록됨.

1971(57세)
3월부터 장편『움직이는 城』제2부 4회 분을『현대문학』에 발표.
9월 16일, 콩트「탈」을『조선일보』에 발표.
9월 20일, 남북 적십자 첫 예비회담. '외솔회' 이사에 피촉.

1972(58세)
장편『움직이는 城』완결.
2월, 단편「산골아이」중의「도토리」가 Korea Journal에 게재됨.
4월부터 장편『움직이는 城』제3부와 제4부를『현대문학』10월호까지 연재하여 완결.
7월 4일, 남북 공동성명 발표.
8월, 단편「목숨」이 Korea Journal에 게재됨.

1973(59세)
5월, 장편『움직이는 城』을 삼중당에서 간행.
6월, 단편「鶴」이 Ten Korean Short Stories(Korean Studies Institute 刊)에 수록됨.

10월, 장편 『일월』이 『現代韓國文學選集』(日本多樹社 刊) 제1권에 수록됨.

11월 5일, 친구 원응서(元應瑞) 별세.

12월, 단편 「黃老人」이 단편 「曲藝師」가 Revue de COREE 겨울호에 게재됨.

『황순원문학전집』 전 7권을 삼중당에서 간행.

1974(60세)

3월, 시 「章話」, 「肖像書」, 「獻歌」를 『현대문학』에 발표.

3월 24일, 단편 「별」이 Korea Times에 게재됨.

7월, 단편 「숫자풀이」가 『문학사상』에 발표.

8월, 단편 「비바리」가 「갈매기의 꿈」이라는 제목으로 영화화됨.

10월, 단편 「마지막 잔」이 『현대문학』에 발표.

12월, 시 「空에의 의미」를 『현대문학』에 발표.

단편 「너와 나만의 時間」이 Postwar Korean Short Stories (서울대학 출판부刊)에 수록됨.

단편 「鶴」과 「소나기」가 Flowers of Fire: Twentieth Century Korean Stories(Hawaii대학 출판부刊)에 수록됨.

1975(61세)

4월, 단편 「이날의 遲刻」을 『문학사상』에 발표.

6월 29일, 단편 「뿌리」를 『주간조선』에 발표.

10월, 단편 「주검의 장소」 창작, 『문학과 지성』 겨울호에 발표.

11월 1일, 단편 「독 짓는 늙은이」가 Korea Times에 게재됨. 장편 『카인의 後裔』가 The Cry of the Cuckoo(Pan Korea Book Corporation 刊)라는 표제로 간행됨.

1976(62세)

3월, 단편집 『탈』을 문학과지성사에서 간행. 같은 달 「나무와 돌, 그리고」를 『현대문학』에 발표.

10월, 단편 「달과 발과」가 Korea Journal에 게재됨.

11월 7일, 단편 「이날의 遲刻」이 Korea Times에 게재.

1977(63세)

3월, 시「돌」,「늙는다는 것」,「高熱로 앓으며」,「겨울 風景」을 『한국문학』에 발표.

4월, 시「戰爭」,「링컨이 숨진 집을 나와」,「位置」,「宿題」를 『현대문학』에 발표.

9월, 단편「그물을 거둔 자리」를 『창작과 비평』 가을호에 발표.

1978(64세)

2월, 장편「神들의 주사위」를 『문학과지성』 봄호에 연재 시작.

1979(65세)

5월, 시「모란 I · II」를 『한국문학』에 발표.

1980(66세)

1월, 장편『나무들 비탈에 서다』가 Trees on the Cliff(미국 Larchwood 社刊)라는 표제로 간행됨.

5월 18일, 광주민중항쟁 발발.

8월, 23년 6개월 봉직한 경희대학교에서 정년퇴직하고, 명예교수로 재직

6월, 시「꽃」을 『한국문학』에 발표.

9월, 단편「風俗」,「소라」,「닭祭」,「별」,「黃老人」,「독 짓는 늙은이」,「소나기」,「鶴」,「왕모래」,「비바리」,「송아지」,「숫자풀이」, The Stars(영국 Heinemann 홍콩 支社刊)라는 표제로 간행됨.

장편『神들의 주사위』가 『문학과 지성』의 폐간으로 가을호부터 연재 중단됨.

12월, 『황순원전집』 제1권 『늪/기러기』, 제9권 『움직이는 城』이 간행됨.

1981(67세)

5월, 『황순원전집』 제2권 『목넘이마을의 개/곡예사』, 제6권 『별과 같이 살다/카인의 後裔』가 간행됨.

8월, 장편『神들의 주사위』를 『문학사상』에 처음부터 다시 연재하여 다음해 5월호에 끝냄.

12월, 『황순원전집』 제3권 『鶴/잃어버린 사람들』, 제7권 『人間接木/나무들 비탈에 서다』가 간행됨.

1982(68세)

8월, 『황순원전집』 제4권 『너와 나만의 時間/내일』, 제10권 『神들의 주사위』가 간행됨.

1983(69세)

3월, 시「浪漫的」,「關係」,「메모」를 『현대문학』에 발표.

7월, 『황순원전집』 제8권 『日月』이 간행됨.

12월, 장편『神들의 주사위』로 대한민국 문학상 본상 수상.

1984(70세)

1월, 단편「그림자풀이」를 『현대문학』에 발표.

3월, 시「우리들의 歲月」을 『월간조선』에 발표.

3월 25일, 시「도박」을 한국일보에 발표.

3월 26일, 작가 고희 맞음.

4월, 『황순원전집』 제5권 『탈/기타』가 간행됨.

7월, 시「密語」,「한 風景」,「告白」을 『현대문학』에 발표.

10월, 시「기운다는 것」을 『문학사상』에 발표.

12월, 단상「말과 삶과 自由」 씀.

1985(71세)

3월, 『황순원전집』 제11권 『시선집』, 제12권 『황순원 연구』가 간행됨.

같은 달에 「말과 삶과 自由」를 『말과 삶과 自由』(문학과 지성사)에 수록.

9월, 단편「나의 竹夫人傳」이 『한국문학』에 발표.

단편「땅울림」 창작, 『세계의 문학』 겨울호에 발표.

1986(72세)

5월, 「말과 삶과 自由 · II」를 『현대문학』에 발표

9월, 「말과 삶과 自由 · III」를 『현대문학』에 발표.

12월, 『말과 삶과 自由 · IV』를 씀, 『현대문학』(1987.1)에 발표. 자살에 대한 비판, 예수의 자유정신과 이를 부정하는 대심문관인 추가경의 이야기 등에 언급함.

1987(73세)

박종철군 고문치사 사건. 6·29 민주화 선언.

5월, 「말과 삶과 自由·V」를 『현대문학』에 발표. 작가로서의 자세, 자유정신, 고문에 대한 비판, 악마와의 대화에 대해 씀.

1988(74세)

3월, 「말과 삶과 自由·VI」를 『현대문학』에 발표. '한글 맞춤법 및 표준어 규정'(1987)에 대한 비판과 우려, 애주가로서의 변, 도스토예프스키의 인간에 대한 신뢰 및 그리스도에 대한 애정, 작품을 쓰는 이유에 대해 언급.

1990(76세)

8월 15일, 선친께서 건국훈장 애족장을 추서 받음.

11월, 장편 『日月』이 'Sunlight, Moonlight(Sisayoungsa)'라는 표제로서 간행됨. 황순원 문학연구에 대한 학위논문 나오기 시작함. 이월영, 「꿈소재 서사문학의 사상적 유형 연구」, 전북대학교 박사논문, 1990.

1991(77세)

양선규, 「황순원 소설의 분석심리학적 연구」, 경북대학교 대학원 박사논문, 1991.12.

1992(78세)

9월, 시 「散策길에서·1」, 「散策길에서·2」, 「죽음에 대하여」, 「微熱이 있는 날 밤」, 「밤 늦어」, 「기쁨은 그냥」, 「숫돌」, 「무서운 아이」를 『현대문학』에 발표.

1994(80세)

박양호, 「황순원 문학연구」, 전북대학교 대학원 박사논문, 1994.2.

장현숙, 「황순원 소설연구」, 경희대학교 대학원 박사논문, 1994.8.

장현숙, 『황순원 문학 연구』(1994.9. 시와시학사), 황순원 문학에 대한 최초의 저서.

1995(81세)

외출 거의 하지 않고 사당동 자택에서 작고할 때까지 지냄.

2000(86세)

9월 14일, 서울 사당동 자택에서 별세.

9월 18일, 장지 충남 천원군 병천면 풍산공원 묘원에 안장됨.

2003(사후 3년)

황순원 기념 사업회 발족.

2009(사후 9년)

6월 13일, 경기도 양평에 황순원문학촌 소나기마을 개장.

2012(사후 12년)

9월 황순원기념사업회 주관으로 소나기마을문학상과 황순원연구상 제정.

12월 17일, 황순원학회 창립.

2014(사후 14년)

9월 5일, 황순원 선생 사모님 양정길 여사 작고.

9월 5일, 14주기 추모식 거행.

12월, 학술지 『황순원연구』 창간.

1930년대 황순원 시 자료 발굴

1. 1931년 『매일신보』 소재 자료 발굴

누나생각

황천간우리누나
        그리운 누나
비나리는밤이면
        더욱그립죠
그리운누나얼굴
        생각날때면
창밧게비소리도
        설게들니오

— 『매일신보』, 1931.3.19.

* 판독 불가한 글자는 □로 표기하였음.

봄싹

　양지쪽따스한곧 누른잔듸로파릇한풀싹하나 돗아나서는 봄바람 살랑
살랑 장단을 맞춰보기좋게 춤추며 개웃거리죠보슬비나리면은 물방울맺
혀아름다운진주를 만들어내고 해가지고달뜨면 괴 잠들고별나라려행꿈
을 꾸고잇어요

—『매일신보』, 1931.3.26.

형님과누나

아츰햇님 방긋이
        솟아오를때
안마당 언덕우로
        물동이니고
울누나 타박타박
        올나옵니다

×

저녁해님 빙그레
        도라를갈제
뒤산밋 곱은길로
        나무짐지고
울형님 살랑살랑
        나려옵니다

— 『매일신보』, 1931.3.29.

문들네씃

언덕길을것다가
　　　　심심하기에
길엽에서 문들이
　　　　썩어물엇네
둥그댕금박□ □
　　　　□ □ 만녀라
×

들에서 소□ 이다
　　　　쌈이나기에
□ □ 에서 □ □ 네

　　　　쓰더물엇네

□ 에□ □ □ □ □
　　　　□ □ 말녀라

　　　　　　　　　　　—『매일신보』, 1931.4.10.

달마중

동무들아 나오라
　　　　달마중가자
손목잡고 산넘어
　　　　달마중가자
×

달아달아, 밝은달
　　　　노래부르자
즐거움게　썩여서
　　　　　춤을추자야
둥근달님 빠지마
　　　　□ □하여라

— 『매일신보』, 1931. 4. 16.

북간도

친구들아 잘잇거라
　　　　나는가노마
북간도의 거츤물도
　　　　쎠나가노라
×

우리동무 우리강산
　　　　ㅁ니즈ㅁ ㅁ
괴로움이 하도만혀
　　　　쎠남이로다
◇
지금에는 가지가지
　　　　서름이되어
보보행진 거름마다
　　　　눈물샊 리나
×

다시올샏 승리의긔
　　　　들고오리니

동무들아 깃븜으로

　　　다시맛나세

　　　　　　　　　— 『매일신보』, 1931.4.19.

버들개지

버들개지 아씨는
      버들의 처녀
초록치마 저고디
      째끗이닙고
□□거울 압헤서
      맵시내다가
자긔□□ 살근이
      잠이들엇네
×

다음봄에 눈쓰니
      외머리흰털
누가볼가 붓그러
      머리숙이니
앞집총각 솜나무
      침침하여서
『엇지하여 늙엇나』
      놀녀주엇네

註=왼머리흰텀이라는것은 □핀것

― 『매일신보』, 1931.4.26.

비오는밤

보슬비보슬보슬
　　　나리는밤엔
써나온녯고향이
　　　그리웁고요
□ □ □는동모도
　　　그립습니다

　×

박에선비소리만
　　　들녀오는남
안타가운가슴을
　　　부드켜안고
□ □ □ □ 녯날을
　　　그려봅니다

　　　　　　　　　─『매일신보』, 1931.4.28.

버들피리

□□에 버들피리
　　　불어주면은
갓든제비녯집을
　　　찾아오건만
돌벌녀□□□님
　　　잇제안오나

×

안오실줄번연히
　　　알기는하나
해여나하는마음
　　　타올나와서
나홀노버들피리
　　　들고잇네

— 『매일신보』, 1931.5.9.

七星門

허무더진성터에
　　　　남은칠성문
비바람상판챤코
　　　　우죽서잇죠
기와장엔어□갸
　　　　돗아나구요
기둥은절반이나
　　　　썩엇습니다

×

넷째에드나□든
　　　　작군□녕은
지금은어데갓나
　　　　볼수가업고
늙고늙어굽어진
　　　　솔나무하나
칠성문을직히고
　　　　서잇습니다

-□□에서

—『매일신보』, 1931.5.13.

短詩三篇

바람

바람이 분다
네나 나나 보지는못하나
나무닢을 흔들고 간다

저녁

햇발이 서산을 넘엇다
우주는 황혼이 되고
산넘어 가마귀 제집을찻네

달 빗

명랑한 달빛
수어진 □ □ 으로 비춰어들고
어떳슬째 모른생각
이더러 속으로 새여몬다

―이 三篇의詩를 낫모르는 金在□ 兄님께드리나이다―

―『매일신보』, 1931. 5. 15.

우리학교

우리학교교실은
　　　　오막사리집
그때도학생들은
　　　　서른명이고
다른학교공부를
　　　　나제하지만
우리들은공부를
　　　　밤에합니다
×

나제는지게지고
　　　　산에올나가
열심으로나무를
　　　　하여오구요
저녁밥을먹고는
　　　　학교여가서
동무들과안자서
　　　　공부합니다

　　　　　　　　　　　—『매일신보』, 1931. 5. 17.

하날나라

하늘나라 놉흔나라
　　　　자유의나라
□ □으로 □은듯이
　　　　침침하구나

×

햇님달님 별님들의
　　　　보좌가되고
검은구름 흰구름의
　　　　운통 □ □이오

◇

하늘나라 넓은나라
　　　　쑥업는나라
목화송이 쌕린듯이
　　　　청결하구나

×

빗물업시 왓다가다
　　　　백색 쎼구름
뭉긔뭉긔 놉흔산이
　　　　솟아나왓조
　◇

하늘나라 머언나라
　　　　무서운나라
검은물감 쎅 린쏫이
　　　　암흑하구나

　×

압흐로갓 저편하늘
　　　　검은쎼구름
흰하늘을 딥흔우에
　　　　□ □ □하네

　◇

잠시간에 번□는것
하날의나라
너희나라 모른정치
복잡하고나

×

햇님임군 달님장군
      별님백성들
자유로히 살어감이

     하늘의나라
—끗—

—『매일신보』, 1931.5.22.

이슬

풀닙우에 매달면
        은구슬은요
이째밤에 하날서
        선물은게죠

×

반짝반짝 ▢벗채
        비를내고는
방울방울 땅속에
        숨어바려죠

— 『매일신보』, 1931. 5. 23.

별님

금빗햇님 말업시
　　　　서산넘으면
어듸선지 □님을
　　　　쌈박어리며
푸른하늘 저강에
　　　　나타납니다

×

금빗햇님 슬멋이
　　　　먼동이되면
밤새도록 써돈별
　　　　달님그리워
하나둘식 뒤따라
　　　　사라집니다

—『매일신보』, 1931.5.24.

할연화

우리집숫밧셰
            어리숫중에
그중에서활련화
            가장고와요
아츰해가씨을쎄
            나가서면은
아침빗해빗섞여
            방숙웃으며
『어제밤에잘잣소』
            문안하고요
저녁밥을먹고서
            물을주려면
저녁바람살-살
            간독이면서
『오날밤도잘자소』
            인사를해요

—『매일신보』, 1931.5.27.

시골저녁

서편산에 걸린해
　　　　몸을감추면
뒤동산의 범국새
　　　　밤재촉하고
하로종일 일하는
　　　　농부님들은
안□안에 모혀서
　　　　애기합니다

×

차차로히 저녁빗
　　　　깁허가면은
이집저집 방풍틈
　　　　놀이가고요
오양간에 안소는
　　　　단숨을 쑤며
□□로히 긴한숨
　　　　내여쉽니다
—끗—

— 『매일신보』, 1931.5.28.

할머니무덤

산비탈에 불룩한
　　　　할머니무덤
이십팔년 긴세월
　　　　흘러갓건만
금년봄도 새싹은
　　　　엄이□고요
뻑쑥새는 □차서
　　　　노래합니다

　　×

압님이 어떨재
　　　　쩌난할머님
지금 까지 계시면
　　　　쪼호려만은
먼나라로 쩌나신
　　　　몸이된고로
불□되어 □려도
　　　　웃은답니다
　　—□□의□□이되신 할머님을 □□하며

　　　　　　　　　　　　—『매일신보』, 1931. 6. 2.

나

아날도××학교
            문박게와서
□ 신을바라보고
            눈물움치어
이한달을이러쌔
            보내려하네
□ 과가리공부도
            못하는이를
어데가서하소연
            하여볼건가

×

하룻날도저물어
            발을옴길새
저산넘어가마귀
            쩨를지어서
싸욱 싸욱 쩨깃□
            차져가건만
집업서갈□ □
            외로운이몸

어데가서하룻밤

　　새울것이가

　　　　　　　　　　　　　　　—『매일신보』, 1931.6.7.

回想曲

비오는 어둔밤에
　　　　조용히안저
어려서 놀든째를
　　　　생각하면은

하염업는 눈물이
　　　　줄을지어서
여윈얼골 두뺨에
　　　　흘너집니다

◇

밝은달이 비취는
　　　　뒷담밋헤서
고향하늘 보고서
　　　　서서잇스면
□가□는 가슴에
　　　　매친 슬흠이
쓴임업는 한숨이
　　　　솟아납니다

─故鄕에 있는 동무들께

─『매일신보』, 1931.6.9.

봄노래

나리고 싸힌눈
     녹아흐르고
싸스한 봄바람
     불어옵니다
×

뜰안에 곱게핀
     매화숫우에
범나희 힌나븨
     춤을춥니다
×

냇가에 느러진
     실버들가지
나리는 쓸우에
     헤엄칩니다

—『매일신보』, 1931.6.12.

갈닙쪽배

갈닙쪽배만드러
씌워놧드니
소금쟁이배ㅅ사공
노를저어서
넓은바다햐아여
쎠나갑니다

버들가지느러지
그늘짓는속
어기어차배저어
지나가고요
머나먼려행길을
걱정도안코
솔솔솔봄바람에
쎠나갑니다

— 『매일신보』, 1931.6.13.

거지아희

한술주소 거지애
가이업는애
전날가티 오날도
밥통을메고
집집마다 단니며
구걸합니다

밤이되면 방칸에
게쓰고자며
낮이되면 길쎠나
어더먹는데
눈이오고 바람센
물쓸날에도
쉬임업시 배쥐고
단닌답니다

『주인어멈 밥한술
보내주시요』
긔운업시 전하며
애걸할쎄애
악착스런 주인은

밥이업다고
고함치며 거지애
흘겨봅니다

멋멋동안 죽한술
먹지못하여
휘인배를 싸고서
머뭇거리나
어느누구 그애를
불쌍히녁어
먹을것을 주는이
업섯답니다

— 『매일신보』, 1931.6.19.

외로운등대

꺾임업시 반작~
외로운등대
모든물건 쑴나라로
려행갓슬새
헤매이는 쪽배들의
목표가되고
엄마일흔 물새들의
등불됩니다

밤새도록 번적~
외로운등대
너희동무 불켜주는
소녀아희와
하날놉히 빗최이는
저변이되나
비쑤리고 구진날은
누가됩니 까
남은빗줄 반작~
외로운등대
바람불먼 물결와서
삼키려하고

구름뫼면 눈비나려
침노를하니
등대생활 그언제나
외로운것쌘

—『매일신보』, 1931.6.24.

우리옵바

지게쑨 우리옵바
힘쎈옵바는
조밥에 장덩어리
먹고지내나
어밥먹고 잘노는
게름□보다
멧곱이나 마음이
억세답니다

아츰부터 밤싸지
쉬지도안코
무거운짐 자고서
다니지만은
걱정업고 일업는
그놈보다는
튼튼함이 멧배나
더하답니다

— 『매일신보』, 1931.6.27.

소낙비

먹장가튼구름새
몰리여서날드니
툭탁~ 소낙비
우박가티나리네
연한나무가지는
절반이나누엇고
도랑에논흙물이
살쏜가티흐르네

— 『매일신보』, 1931.6.27.

종소래

새벽공기 흔드는
새벽종소래
건넌마을 절간서
들니어오조
깃분아츰 알니는
종소래것만
알수업는 슬흠이
숨겨옵니다

아츰쌜새 알니는
새벽종소래
넓은돌을 거치어
고히들니조
『동무들아 쌔어라
일터로가자
새벽종은 울닌다
어서 쌔어라』

— 『매일신보』, 1931.7.1.

단오명절

손곱아 가디리든
단오날오면
동리사람 새옷을
걸처닙고서
뒷동산에 올나가
근네를 쒸며
깃븜으로 이날을
마지하지만
쓸쓸한 우리집안
헌옷닙고서
어제나 달음업시
일만하지요

찰아리 이런명절
오지안으면
압흔마음 얼마큼
나엇갯서도
슬흠실은 명절은
쉬지도안코
돈업는 내집에도
김을매면서

훨―훨 올나가는

근네를보죠

―『매일신보』, 1931.7.2.

걱정마세요

어머님 나를보고
걱정마세요
나희는 어리나마
피는살엇소
먹을것이 업스면
일을하지요
돈업서 그러케도
걱정됩닛가

어머님 나를보고
울지마세요
학교의 동무들이
차지어와도
이자식 학교못가
슲허마세요
마음만 살엇스면
걱정될잇죠

— 『매일신보』, 1931.7.3.

수양버들

시냇가에 늘어진
수양버들에
머리풀어 물속에
적시고잇네

고기색기 몰녀와
놀자고하나
수양버들 실타고
머리흔드네

—陵口島에서

— 『매일신보』, 1931.7.7.

여름밤

무더운 여름밤은
잠안오는밤
모기쌜기 앵—앵
날어단니고
밤개골이 와글와글
짓그려대죠

히미한 반쪽달이
쎠올나오면
풀닙의 버레들은
노래불으고
시냇물은 졸—졸
소리를내조

—『매일신보』, 1931.7.19.

모힘

잔등불이 켜잇는
초가집으로
어려동무 발맛처
모혀가지고
우리소년 할일을
의론하면서
잘살어갈 준비를
하여보세나

간들~ 불빗치
히미해가며
모힌동무 두눈은
빗츨내고요
목청합해 만세를
고함치면은
고히잠든 □하가
옴죽어리네

— 『매일신보』, 1931.7.21.

시골밤

서편산에 걸닌해
몸을감추면
뒷동산에 올뱀이
밤재촉하고
하로종일 일하든
농부님들은
일출안에 모혀서
딤배   니다

차차로히 저녁빗
깁혀가면은
집집마다 밤드울
늘어른가고
오양깐에 암소는
단쑴을쑤며
새새로히 긴한숨
세여쉽니다

— 『매일신보』, 1931.8.29.

버들개지

버들개지 아씨는
버들의 처녀
초로치마 저고리
쌔긋이닙고
물결거울 압헤서
맵시내다가
자긔를내 살근이
잠이들엇네

다음봄에 눈쓰니
윈머리흰털
누가보라 붓그러
머리숙이니
압집총각 솔나무
청청하여서
엇지하여 늙엇나
너흘거리네

—『매일신보』, 1931.9.5.

꽃구경

복사꼿피엇다가
문을열고서
안는몸니르키여
내다봣드니
발숙~ 복사꼿
나를보고서
『엇지하여알느냐』
문안을하네

남가티산에올나
꼿구경못태
나혼자누어잇서
뜰에피인꼿
마음썻바라보고
눈을감으면
압흐든모든생각
사라집니다

—『매일신보』, 1931.9.13.

2. 1935년 10월 15일 『조선중앙일보』 소재 자료 발굴

개아미

죽은 지렁이,

산 개아미, 개아미, 개아미

개아미, 개아미…….

○

여름날, 적은 불개아미 한 마리가 길게 늘어 죽은 지렁이 한마리를 물어

뜻고잇다, 큰 소낙비 지난뒤 검은 구름ㅅ새로 어글어글 햇볕이 내려 쪼일

때, 낫게 부는바람이 행결 살ㅅ결에 반가로울때.―그럼 죽은 검붉은 지렁

이는 언제부터 이곳에 잇섯나, 또 어느새 빨ㄱ안 개아미 떼들이 이러케

몰려 왓나, 마당에 노힌 판ㅅ돌여페.

○

―죽은 지렁이는 꼼작 못하고,

산 개아미는 옴짓옴짓 끌고가고,

―죽은 지렁이는 흙투성이되고,

산 개아미는 작고만 모혀 들고,

―죽은 지렁이는 남의밥이되고,

산 개아미는 부즈런한 일꾼이되고.

○

아까 소낙비가 악수로 쏘다지기전에는 이 지렁이도살어 잇서슬가, 개아미에 비하야그러케나 몸집이 큰 지렁이가 지금은 보기실케 그 기인 몸을 늘어트리고 움직이지 못하는 지렁이가. 올치 지난소낙비에 마저 죽엇다면 그는 넘우나 약하지. 그럼 대체 오글오글 달려드는 개아미떼들은 어데서 그비를 그엇슬가, 참 어떠케 줄세인비발을, 흘으는 흙물을 피햇슬가. 그리고 이적은 동물은 겨울동안 땅속에서어떤모양을하고잇슬가. 『개아미와 매암이』라는이야기속가티 여름에 버러들인것을 아무걱정업시 놀고 먹구만 잇슬가.

　─개아미

허리를 동인 몸에 무장을 하고 觸手달린 머리에 투구를 쓴 벌레 자긔몸의 멧배나되는 지렁이를 끌어가는 삶의 용사. 참말 나는 때로 그들에게 질투와 함께 공포를 느낀다─ 이지구껍질에서 사람의 종자가업서지는때 그때에 우리는 이 적은 벌레한테 물어 띄키우지나 안흘까하고 지금눈알에 지렁이가 당하고 잇는것가티.

　○

죽은 지렁이

산 개아미 개아미 개아미 개아미 개아미……아페 불개미떼의 굴이 차차 가까워 온다.

(一九三五年七月)

동란 직전과 1970년대 초입의 발굴 작품

눈

황순원

 밤 들면서부터 눈이 내리기 시작했다. 처음에는 열어보는 문 밖에 그저 흰 재 같은 것이 희끗거리더니, 어느덧 함박눈으로 변했다. 뒷뜰에 올라서며 신발을 털고 어깨를 털고 들어서는 마을꾼의 등 뒤에 함박눈이 펑펑 쏟아져 내린다.

 이날밤도 나는 아랫동리 육손이 할아버지네 일간에 가 있었다. 작년 가을 고향에라고 돌아온 뒤로,

 나는 이태 겨울째 틈만 있으면 ○ ○ ○ 육손이 할아버지네 일깐으로 마을가는 것이 한 버릇처럼 돼 있었다.

거기 모이는 전부가 내 어려서부터 익히 아는 사람들이었다. 단지 얼마 전에 뒤대 어디선가 이사해 왔다는 삼봉이 아버지란 사람을 제하고는.

무어 신통한 이야기가 있을 리 없었다. 시기가 시기니 만큼 우리들의 얘기는 대개가 공출에 관한 얘기였다. 모두 남의 걱정을 제 걱정처럼 제 걱정을 남의 일 처럼이 얘기했다.

스러져가는 질화로의 잿불을 돋구어가며 나는 이 고향사람들과의 이야기 속에서 아직 내 체내 어느 깊이에 그냥 남아 있는 농사꾼으로서의 할아버지와 반농사꾼으로서의 호흡을 찾고 그 속에 잠기어 고개숙이는 것이었다. 이날밤도 나는 육손이 할아버지네 일깐에서 그러고 있었다. 밖은 여전히 소리없이 눈이 내리고 있었다. 누가 문을 열었다 닫으면서 어 눈이 한자는 실히 왔겠다는 말을 했다. 뒤이어 금년엔 오월달에 비가 많이 왔으니 이렇게 눈이 일찌감치 온다는 둥, 작년 겨울엔 강추위만 해서 밀보릴 얼퀴 놓더니 그래도 올해는 이렇게 눈이 덮여 밀보리 농산 괜찮을 것 같다는 둥, 이런저런 이야기 끝에 누가 있다가 삼봉이 아버지더러, 참 뒤대에는 눈이 와도 굉장히 온대지요? 하니, 삼봉이 아버지가 그렇다고 하면서, 함경도 사투리가 그대로 섞인 말투로 다음과 같은 이야기를 했다.

아닌게 아니라 삼수갑산 눈은 굉장하다. 흔히 말하는대로, 겨울에는 집집마다 변소까지 바으락지를 매두고 눈이 쌓이게 되면 그 바으락지를 흔들어 굴 같은 구멍을 뚫고 그리로 변소엘 출입한다든가, 누군가는 눈, 위를 다니다 짚세기를 빠뜨렸는데, 이듬해 봄에 나가보니, 그 집세기가 자기네 집 뒤 소나무 가지에 걸려 있더란 얘기만은 보탠 말이지만, 예서는 생각 못할만치 눈이 많이 어는 것만은 사실이다. 그리고 눈이 한 번 흠뻑 내리면 이듬해 해동기까지 외부와의 교통이 끊어지는 것도. 그래 이런 일도 있다. 어떤 외따루 떠러져 있는 산골 집에서, 양식이 떠러져 남편은 식량을 구하러 타처로 가고, 손님은 들었는데, 저녁에 주인 예편네가 하늘을 쳐다보더니, 손님보고, 좀 나와 나무를 들이자고 해, 나무를 끌여들이는걸 부엌 가득히 들이고, 이번에는 방안에 까지 끌어들여, 아룻묵 삿자리 한잎 깔이나 남겨놓고는 빼곡 들이쌓았다. 그리고 밑구멍 뚫린 독하나를 맞들어다 두어말 밖에 안 남은 콩 한 말을 쓸고 물을 붓는다. 콩나물을 길구자는 것이다.

과연 그날 밤부터 오는 눈이 강산처럼 내리 쌓였다. 왕래라곤 꼼짝 못하게 됐다. 주인 예편네와 나그네는 콩나물 몇오래기를 ○○에 끓여 마시며 한해 겨울을 난다.

다음해 봄, 길이 열린 뒤에야 나그네는 제 갈길을 떠난다. 그리하여 이 나그네는 가다 날이저물어 주막에는 드는데, 작년 가을 식량을 구하러 떠난 그 집 남편과 한 주막에 들게 된다. 이 남편되는 사람도 식량을 구해가지고 돌아오다 역시 눈에 잽혀 지금에야 집으로 돌아오는 길이다. 그래 나그네와 남편은 밤에 한 방에 누워 이런 얘기 저런 얘기를 하는 동안, 남편은 이 나그네가 여드런 곳 어떤 집에서 한겨울을 났다는 그것이 바루 자기네 집이라는걸 안다. 남편은, 그래 그집 여인 굶어죽지는 않았느냐고 한다. 나그네는 콩나물로 한해 겨울을 난 이야기를 한다.

남편은, 그러냐고, 대단히 고맙다고, 그집이 바루 자기 집이라고, 하며, 치하까지 해 마지 않는다. 이렇게 해 이튿날 아침 둘이는 새로 술까지 나눈 뒤, 서로 몸조심하라고 간곡한 인사를 하고 헤어진다.

양말

황순원

    대구의 일기란 실로 괴이하다 아니할 수 없다. 서울 같으면 정월달만 지나놓고 보면 그해 추위는 한풀 꺾이는 법인데 대구에서는 도리어 이무렵해서부터 본격적인 추위로 들어가는상 싶다. 정월 스무날께가 지나도록 날씨가 웬만하기에 올해는 낙동강이 붙지 않으려는가보다고 했더니 같은 사에 있는 본바닥 청년 하나이 이제 이월 초순께 가서야 붙을려니 두고 보라고 한다. 과연 이월달 들어서면서 달려온 한파란 무디했다.

    이 한파는 그대로 물결치듯이 물러갔는가 하면 되밀려 오고 오고 하기를 입춘을 톡톡이 알아보고 대동강 배 나간다는 우수경칩에 눈이 강산처럼 내리고 한겨울처럼 꽁꽁 얼구어 놓았다. 주위의 지세 관계로 이 대구만이 따로 대륙적 기후를 이루고 있다더니 이것이고나 했다.

    그는 본시 추위를 몹시 탔다. 더위만은 아무런 무더위도 견디어낼 수 있을듯 했으나 추위에만은 꼼짝 못했다. 그것은 몸이 튼튼하지 못한 사람의 상례 그대로였다.

    그래도 어느 고마운 이의 알선으로 취직하게 된 사 이층에서 그는 외투를 벗어보지를 못했다. 난로가 없기도 했다. 그러나 모든 것이 아쉬운 객지 살림살이라 그런지 추위는 마냥 마음속까지도 스며드는 것만 같았다.

요행이 이층 남쪽이 온통 유리문이어서 해만 나는 날이면 볕이 쬐여 들었다. 그는 틈 있는대로 이 볕이 드는 자리로 가 해바라기를 하곤 했다. 햇볕의 따뜻함과 고마움이 새삼스레 깨달아지며 느껴지는 심사였다.

이 이층 사옥과 안채 살림방과의 사이에는 좁잖게 네모진 뜰이 있었다. 뜰에는 저쪽 옆으로 상당히 오래 묵은 오동나무 한 구루에 은행나무 한 구루가 서 있고 이쪽으로 이역 상당히 오래 묵은 포도나무 한 구루가 틀 위에 그 그리 맵시 있지 않은 줄기를 가로 세로 늘히고 있다. 그는 해바라기를 하며 생각없이 이것들을 유리창 밖으로 내다보기가 일수였다. 하긴 가다가 이런 생각도 하면서 저것들이 오늘 저렇게 옴짝 않고 무엇에 귀 기우리듯이 서 있는 것은 정녕 대기 속의 봄 기운이며 대지 속의 봄기운을 이미 한가닥도 놓지지 않고 받아들이기 위함일 것이다. 역시 봄은 머지 않았다 아니 봄은 벌써 우리들 모르는 새 와 있는 것이다. 이럴 지음 간혹가다 그 제비같은 『쎄이버쟀트』기가 쏜살같이 시야를 스치고 지나가는 수가 있었는데 그러면 그는 또 참말 이제 제비가 찾아올 때도 가까워 왔고나 한다. 절로 몸 속까지 녹는 심사였다.

그날은 전날 저녁때부터 차지더니 밤새 꽁꽁 얼구어 놓고야 말았다. 날만은 맑게 개었다 바람도 없었다. 그는 버릇처럼 손이 빈틈을 타 해바라기를 하고 있었다 이러고만 있으면 바깥 날씨도 잊을 수 있는듯 했다. 유리창 밖의 오동나무며 은행나무며 포도나무도 여전히 조용히 서서 봄기운을 빨아들이는 것만 같다. 그는 이것들을 내다보며 문득 대구의 일기가 이러다가도 더워지기 시작하면 걷잡을 수 없게 갑자기 더워진다니 아직껏은 저렇게들 늙어 맵시 없는 몸둥이며 줄기를 들어내놓고 있지만 언제 하룻밤 사이에 자기도 모르게 파아란 움을 불쑥 터뜨려 놓아 놀래어주는지도 모른다는 생각 같은 것을 뜻없이 하고 있었다.

밖에 나갔던 사원 하나이 올라오더니 테불 위에 양말을 한 보자기 끌러

놓는다. 서너타는 족히 되겠다. 누구 아는 친구한테서 생산자 가격으로 구해 왔으니 소용되는 사람끼리 나눠 신자는 것이다. 값은 싯가 한 컬레에 이천원 짜리를 일천사백오십원으로 하고 대금도 월말에 봉급에서 제하도록 편리를 도모한다는 말.

모두 그리로 밀려가 뒤적여 보더니 나는 몇 컬레 나는 또 몇 컬레 하고들 골라 잡는다. 그만한 그만두기로 작정하고 유리창 밖만 내다보고 있었다. 그러다가 그는 아차 나도 한 컬레 사야지하는 생각에 저도 모르게 일어섰다.

오늘 아침 조반을 하러 일어서던 아내가 어서 이 떨어진 버선을 벗어내리기 위해서도 봄이 와야 할텐데 하는 혼잣말을 하고는 자기가 한 말이 웃어운 듯 그의 편을 돌아보며 다시 우리가 언제부터 이렇게 봄을 생각하게 됐노 하고 웃어 보였다. 그는 못본척 가만있었다. 아내의 버선 뒤축과 앞볼이 헤져나가 발뒤축과 발 가락이 들너나 보인 것은 이미 오래 전 일이다. 헝겊조각이라고 있는 것은 애들의 엉덩이나 무릎 그리고 발목을 때 주노라고 통 자기의 몸주제는 돌보지 않는 것이다. 그러면서도 남편인 그에게는 겨울에 발을 제일 시려워 한다고 늘창 두세 컬레씩 께신게 하고 있는 것이다. 이 아내에게 양말을 하나 사다줘야겠다.

물론 그것은 사내 양말이었다. 할 수 없다. 그는 테불 위 몇 컬레 남지 않은 양말 가운데서 한 컬레 골라 잡았다.

『한 컬레만하오?』

『한 컬레만.』

『두 컬레 하시지. 오십원 어쩌구 하느니 계산하기두 좋게』

『아니 한 컬레만 적으시오』

그는 이날 집으로 돌아오자 무슨 선물이나 내놓듯이 아내 앞에 양말을 꺼내 놓았다.

『당신 신우. 남자 것이지만.』

『이거 웬거요?』

『사왔지. 싯가 이천원 짜리를 천사백오십원 주고. 대금은 이월 월급에서 제하기로 하고.』

『아 어디나 이걸 천사백오십원씩 해요? 비싸기두 해라요 얼마 전만 해두 길거리에서 사구 팔구 하는걸 보니 천원인가 하던데! 또 오십원은 무언고? 사백이면 사백원이지.』

그런데 아내는 그걸 개켜 반침 속에 넣는 것이다.

『왜 당장 신을 것 없는데 신짢고?』

『신어두 좀 더 있다 신지요.』

양말 한 컬레를 가지고 저러누나 하는데 생각이 미치자 그는 더 무어라 말을 할 수가 없었다.

다음날 그가 사에서 돌아오니 아내는 어제의 양말 그만하면 몇백원 잘 싸게 사왔다고 하면서 오늘 시장에 가 알아보니 정말 양말 한 컬레에 이천원을 하더라고 했다.

그리고 며칠 뒤의 일이었다. 날씨가 풀리어 제법 봄답게 포근한 날이었다. 그가 사에서 돌아와 담배를 한대 피우고 있는데 밖에 나갔던 아내가 들어왔다. 얼핏 보니 아내의 발이 맨발이다. 그 누데기 버선을 벗어버리고 말정히 씻은 발이다.

『양말을 신지?』

아내는 생각난듯이 제 발을 한번 내려다 본다.

『안직 발을 벗기는 이를껄. 양말을 신어오』

그러나 아내는 말 없이 웃는 얼굴을 그에게로 돌리더니 좀 사이를 두어 『양말을 없애버렸어요. 어떻겠는지 한번 알아 맞춰 봐요.』

그는 대번 마음에 와 집히는 게 있었다. 그것을 아내가 팔아버렸구나 하는 생각이었다. 어쩌면 바로 그가 양말을 사가지고 온 다음날 아내가 시장에 가서 값을 알고온 그날 이미 그걸 팔고 왔었던지도 모를 일이었다.

『사자면 비싸고 팔자면 싼걸 그걸 무얼 팔아?』

그러나 아내는 소리없는 웃음을 웃으며『누가 그걸 팔아요』

하고는 저무도록 그를 바라보다가,

『못 알아 맞치겠오? 저 위문품으루 보냈세요.』

그는 금시, 아 그랬던가 하는 생각이 들었다. 바로 아내의 몇촌 오랍동생이 일선에 나가 있고 얼마 전에 자기네는 그 사람한테서 편지글까지 받았던 것이다

『편짓 주소루해서 바루 가 닿을까?』

그는 그것이 염려 되었다.

『아니애요. 그 동생한테 보낸게 아니애요. 그저 누구에게라 없이 보냈세요. 하긴 오늘 내가 그걸 위문품으루 보내게 된건 그 동생 탓이지만…오늘 시래기 한 타래를 사러 나갔다 돌아오는 길에서예요 문득 길가의 일선장병에게 위문품을 보내자는 글이 눈에 띠었세요. 나는 그만 가슴이 홧해짐을 느꼈어요. 중요한 무엇을 잊었다 뜻밖에 생각해낸 심정이었세요. 오고 가며 처음보는 글도 아닌데…아마 그건 그 동생 탓일거에요. 더구나 얼마 전에 받은 그 동생의 편지 탓일거에요. 편지글에 이런 귀절이 씌어져 있지 않았에요? 그게 하잘것 없는 물건이건 어떤 물건이건 일선 병사들에게는 더할 수 없는 위안의 재료가 된다고… 그게 또 반드시 부모친척이나 친구한테 받았을 때만 그런게 아니고 전혀 모르는 사람한테서 받았을 때 더하다고…… 어떤 병사는 모르는 사람 한테서 손수건을 하나 받고서 그걸로 코를 풀기는커녕 땀 한번 닦지 않고 안주머니 속에 꼭 넣두고 꺼내서 만져보고 만져보고 한다는……나도 이참에 무얼 하나 보내야만 할걸루 생각 컸에요. 그래 머리에 떠오른게 양말이었에요. 당신이 나 신으라 사온 양말이었에요. 이렇게 봄철이 되오면 사람이란 전에 없이 이것저것 생각두 부풀려지는게 아니겠에요? 일선장병두 같을 거에요. 그런 때 그런 것이라도 받게되면 좀 위안을 받을까……』

그는 좀 전부터 무엇에 취한 사람처럼 아내를 바라보고 있었다. 아내는 말을 맞치고도 그냥 소리없는 웃음을 띠우고 있다. 그리고 저욱히 상기된 듯한 얼굴. 그것은 지난날 아내의 처녀 시절에나 본듯한 웃음이요 얼굴인 것이었다.

발을 내려다 보았다. 이른 봄기운을 머금어 장미빛을 띠운 이 발도 얼마 전의 아내의 발은 아니었다. 이렇듯 지금 아내는 몇 날 전에 봄을 두고 자기가 언제부터 봄을 이렇게 생각하게된다 하던 때와는 달리 완연히 제 봄을 제가 차지한 하나의 다른 여인으로서 그의 앞에 나타난 것이었다. 그리고 그는 느끼었다. 이 처음 보는 여인한테서 손수 자기가 양말을 선사나 받은듯이 가슴이 뛰어 부풀어 오름을.

아름다운 늙음
古堂 曺晚植 先生의 85回 生辰日에 붙여

黃順元

   나는 지금까지 육친외의 어른으로 두 분의 아름답게 늙으시는 이를 보았다.

   한 분은 南崗 李昇薰 선생이요, 또 한 분이 古堂 曺晚植 선생이시다. 나는 이 두 분에게서 남자라는 것은 저렇듯 늙을수록 아름다울 수도 있는 것이로구나 하는걸 한두 번 아니게 느꼈던 것이다.

   내가 고당 선생을 가끔 뵈온 것은 내 중학시절부터 태평양전쟁이 일어날 무렵까지 평양 거리에서다.

   선생은 큰 체구는 아니시었다. 언제나 빡빡깎은 머리에 짤막한 턱수염과 코밑수염을 기르고 계셨다. 그리고 몸차림이 아주 특이했다. 회색 무명 바지저고리와 검정 무명 두루마기에 검정 무명 보선이었다. 두루마기의 기장은 무릎에 미치지 않고, 저고리와 함께 두루마기도 고름 대신 단추였다. 바지통이나 팔소매도 활동하기에 편하도록 좁았다. 그리고 신은 편리화라고 하는 운두가 낮은 가죽신. 모자 또한 선생의 창안으로 만든 말총 모자였다.

이렇게 선생은 당신이 조직하여 전국적으로 벌인 조선물산장려회의 〈내 살림 내 물건으로!〉라는 슬로건을 몸소 실천하셨던 것이다. 다른 사람이 그런 몸차림을 하고 거리에 나섰다면 적잖은 웃음거리가 됐을 것이다. 그러나 국산품을 가득 실은 수십대의 달구지를 앞세우고 수많은 시민과 더불어 시위 행진을 할 때의 선생의 모습에서는 의연한 아름다움이 풍겨왔던 것이다.

선생의 이러한 아름다움은 남강 선생에서와 마찬가지로 외모에서 오는 것이 아니고, 오랫동안 숱한 고난을 겪으면서도 끝내 자기를 굽히지 않고 의롭게 살아온 이들만이 지닐 수 있는 정신의 광휘임이 틀림없다. 말하자면 성자의 후광과도 같은 것이다.

이 두 분중 먼저 작고하신 남강 선생은 그래도 당신의 유골로 표본을 만들어 당신의 설립교인 오산중학 표본실에 두어달라는 유언이라도 남기셨지만, 고당 선생은 이북에 남으신 채 그 생사조차 우리는 아직껏 알지 못하고 있다.

측근자들이 같이 월남할 것을 종용했을 때 선생은 〈내 몸 하나 편하겠다고 어찌 이곳 동포를 버리고 가겠소. 나는 이곳 동포들과 운명을 같이 하려오〉 하시고는 그냥 이북땅에 남으신 것이다.

이 말씀을 유언이라고나 할까. 그 뒤 선생의 신상에 어떠한 일이 일어났는지는 소식이 묘연하다.

지금 우리는 선생을 생각할 때 안타까운 심정 금할 길이 없다. 그러면서도 한편 우리는 위안을 받는다. 민족정기의 한 표본으로 선생이 이 세상 어디에 생존해 계시든, 혹은 아무도 모르는 어느 곳에 묻혀 유골마저 찾지못하게 됐든 간에 아름답게 늙으신 당신의 숭고한 얼만은 우리들의 마음 속 깊이 길이길이 살아 남아 있을 것이기 때문이다.

85回誕辰敬慕會

1日, 永樂교회서

古堂 曺晩植 선생의 85회 誕辰敬慕(위원장 白樂濬 박사)가 2월 1일 오후 2시 永樂敎會 紀念館에서 열린다.

白樂濬박사의 개회사로 시작, 洪顯卨 박사의 기념설교와 郭씨, 金八峰씨의 敬慕에 이어 韓景職 목사의 축도로 끝난다.

한국문학에 있어서의 해학의 특성
— 국제펜클럽 제37차 서울대회 한국대표 주제발표(1970. 6.)

『兩班傳』…常民의 마지막 分別
다리 不具의 아들과 팔 없는 아버지의 對話
"너는 앉아서, 나는 서서 할 수 있는 일 하자"

自己 諦念 속에서도 강한 感性

黃順元

　지금까지 내가 읽은 作品 중에는 진득진득한 유머가 별로 없었다. 때때로 내 作品 속에 유머를 使하고 싶은 충동이 없지는 않으나 쉽사리 그렇게 되지가 않는다. 이 때문에 내가 알기로는 韓國 유머의 特質은 어떤 예술적 動機에서 檢出된다기보다는 바로 日常生活의 표면에서 오는 것이다. 유머는 日常事 자체를 비치는 거울이므로 그 本質은 뚜렷하고 昇華된 개념과는 乖離되어 있다. 비록 限定된 짧은 時間에 實例를 들어주지 못함은 유감이지만 이런 本質의 例들은 이름없는 著者의 作品이나 또는 과거의 이름난 作家들의 古典的 文學作品속에서 찾아볼 수 있다. 그러나 나는 그들 중 하나를 골라내어 論難의 여지가 없는 典據를 지닌 作品에서 韓國의 유머를 一〇하고싶다. 그것은 바로 2백여 년 전 朴趾源이 쓴 小說「兩

班」(地主階級의 이야기)이다.「兩班」이란 李朝가 貴族을 常民과「分짓기」
위해 고안해낸 말이다.

이 소설에서 어느 常民은 多量의 곡식을 주고 兩班職을 사려고한다. 兩
班職 授與儀式에서 집행관인 郡守는 兩班이 누릴 特權을 낭독한다. 『양반
이란 마음대로 이웃집 황소를 끌어다가 우선적으로 자기의 밭을 갈 수 있
고 강제로 어느 농민이나 데려다 무보수로 밭일을 시켜도 좋다. 누구든지
양반에게 반항하면 콧구멍에 잿물을 퍼붓거나 수염을 뽑아내어도 좋다.』
이를 듣고 있던 상민은 어리둥절하여 『맙소서, 당신은 나를 산적으로 만
들려는거요?』하고 소리치며 줄행랑을 쳐버렸다. 이 소설의 末尾에서 상
민이 보여준 分別 있는 태도는 항상 생생하게 내 記憶 속에 머무르고 있
다. 이 作品은 다른 많은 것들 중의 적절한 한 例이다.

韓國人들이 時代의 흐름 속에서 여러 面으로 많은 風波를 겪는동안 一
面 分別力의 불꽃들이 더욱 明白히 드러나면서도 自己체념의 강한 沈澱
이 心性 속에 축적되어온 것이다.

20世紀에 접어들면서 西洋文學의 悲觀主義가 韓國文學에 受容되어 日
帝下 文學의 核心을 이루기도 했으나 韓國 現代文學 作品에서의 거의 모
든 유머는 역시 자기 체념에 가까운 색채를 띠고 있다. 6·25동란 後期 作
品의 하나인 河瑾燦의 「受難2代」에서는 아버지가 군에서 제대한 아들을
역驛에 마중하러 나갔다가 다리가 끊긴 것을 발견하는데 그도 太平洋戰
爭 때 징용 나갔다가 팔이 잘린 것이다.

집에 돌아오다 시내를 건널 때 아버지는 하나남은 자기 팔을 들려 아들
의 나머지 한 다리를 부축하면서 『너는 앉아서 할 수 있는 일을, 나는 돌
아다니면서 할 수 있는 일을 하자』고 중얼거린다. 이 유머는 바로 인간의
신체와 관련되므로 우리 마음을 사로잡는다. 表面上으로는 비참하게 보
이지만 그 內面에 鼓動치는 강한 感性을 느낄 수가 있다. 하지만 어떻게
유머의 本質의 水準을 昇華하고 高揚하여야 하느냐는 과제는 한국文學이
장차 심각히 다루어야 할 과제이다.